Richard Lacombe

OUVRAGES DE GEORGES SIMENON
AUX PRESSES DE LA CITÉ

COLLECTION MAIGRET

LES INTROUVABLES

ROMANS

SÉRIE POURPRE

UN NOËL
DE MAIGRET

GEORGES SIMENON

UN NOËL
DE MAIGRET

PRESSES DE LA CITÉ
PARIS

1

C'ÉTAIT CHAQUE FOIS
la même chose. Il avait dû soupirer en se couchant :

— Demain, je fais la grasse matinée.

Et Mme Maigret l'avait pris au mot, comme si les
années ne lui avaient rien enseigné, comme si elle ne
savait pas qu'il ne fallait attacher aucune importance
aux phrases qu'il lançait de la sorte. Elle aurait pu
dormir tard, elle aussi. Elle n'avait aucune raison pour
se lever de bonne heure.

Pourtant, il ne faisait pas encore tout à fait jour
quand il l'avait entendue bouger avec précaution dans
les draps. Il n'avait pas bronché. Il s'était astreint à
respirer régulièrement, profondément, comme un
homme endormi. Cela ressemblait à un jeu. C'était
touchant de la sentir avancer vers le bord du lit avec
des précautions d'animal, s'immobilisant après chaque
mouvement pour s'assurer qu'il ne s'était pas réveillé.
Il y avait un moment qu'il attendait toujours, comme
en suspens, celui où les ressorts du lit, débarrassés du
poids de sa femme, se détendaient avec un léger bruit
qui ressemblait à un soupir.

Elle ramassait alors ses vêtements sur la chaise,

mettait un temps infini à tourner le bouton de la porte de la salle de bains, puis enfin, dans le lointain de la cuisine, se permettait des mouvements normaux.

Il s'était rendormi. Pas profondément. Pas longtemps. Le temps, cependant, de faire un rêve confus et émouvant. Il ne parvint pas ensuite à s'en souvenir, mais il savait que c'était émouvant et il en restait comme plus sensible.

On voyait un filet de jour pâle et cru entre les rideaux qui ne fermaient jamais hermétiquement. Il attendit encore un peu, couché sur le dos, les yeux ouverts. L'odeur du café lui parvint et, quand il entendit la porte de l'appartement s'ouvrir et se refermer, il sut que Mme Maigret était descendue en hâte pour aller lui acheter des croissants chauds.

Il ne mangeait jamais le matin, se contentait de café noir. Mais c'était encore un rite, une idée de sa femme. Les dimanches et jours de fête, il était censé rester au lit jusque tard dans la matinée, et elle allait lui chercher des croissants au coin de la rue Amelot.

Il se leva, mit ses pantoufles, enfila sa robe de chambre et ouvrit les rideaux. Il savait qu'il avait tort, qu'elle serait navrée. Il aurait été capable d'un grand sacrifice pour lui faire plaisir, mais pas de rester au lit alors qu'il n'en avait plus envie.

Il ne neigeait pas. C'était ridicule, passé cinquante ans, d'être encore déçu parce qu'il n'y avait pas de neige un matin de Noël, mais les gens d'un certain âge ne sont jamais aussi sérieux que les jeunes le croient.

Le ciel, épais et bas, d'un vilain blanc, avait l'air de peser sur les toits. Le boulevard Richard-Lenoir était complètement désert et, en face, au-dessus de la grande porte cochère, les mots « Entrepôts Legal, Fils et Cie » étaient d'un noir de cirage. L'*E*, Dieu sait pourquoi, avait un aspect triste.

Il entendait à nouveau sa femme aller et venir dans la cuisine, se glisser sur la pointe des pieds dans la salle à manger, continuer à prendre des précautions sans se douter qu'il était debout devant la fenêtre. En regardant sa montre sur la table de nuit, il s'aperçut qu'il n'était que huit heures dix.

Ils étaient allés au théâtre, la veille au soir. Ils auraient volontiers mangé ensuite un morceau au restaurant, pour faire comme tout le monde, mais partout les tables étaient retenues pour le réveillon et ils étaient revenus à pied, bras dessus bras dessous. De sorte qu'il était un tout petit peu moins de minuit quand ils étaient rentrés, et ils n'avaient guère eu à attendre pour se donner les cadeaux.

Une pipe pour lui, comme toujours. Pour elle, une cafetière électrique d'un modèle perfectionné dont elle avait envie, et, afin de rester fidèle à la tradition, une douzaine de mouchoirs finement brodés.

Il bourra machinalement sa nouvelle pipe. Dans certains immeubles, de l'autre côté du boulevard, les fenêtres avaient des persiennes, dans certains, pas. Peu de gens étaient levés. Par-ci par-là, seulement, une lumière restait allumée, sans doute parce qu'il y avait des enfants qui s'étaient levés de bonne heure pour se précipiter vers l'arbre et les jouets.

Ils allaient tous les deux, dans l'appartement feutré, passer une matinée paisible. Maigret traînerait jusque très tard en robe de chambre, sans se raser, et irait bavarder avec sa femme dans la cuisine pendant qu'elle mettrait son déjeuner au feu.

Il n'était pas triste. Simplement son rêve — dont il ne se souvenait toujours pas — lui laissait comme une sensibilité à fleur de peau. Et peut-être, après tout, n'était ce pas son rêve, mais Noël. Il fallait être prudent, ce jour-là, peser ses mots, comme Mme Maigret avait calculé ses mouvements pour sortir du lit, car elle aussi serait plus facilement émue que d'habitude.

Chut! Ne pas penser à cela. Ne rien dire qui puisse y faire penser. Ne pas trop regarder dans la rue, tout à l'heure, quand des gamins commenceraient à montrer leurs jouets sur les trottoirs.

Il y avait des enfants dans la plupart des maisons, sinon dans toutes. On allait entendre des trompettes grêles, des tambours, des pistolets. Des petites filles étaient déjà en train de bercer leur poupée.

Une fois, il y avait de cela quelques années, il avait dit, un peu en l'air :

— Pourquoi ne pas profiter de Noël pour faire un petit voyage ?

— Aller où ? avait-elle répondu avec son bon sens inattaquable.

Aller voir qui ? Ils n'avaient même pas de famille à visiter, en dehors de sa sœur à elle, qui habitait trop loin. Descendre à l'hôtel dans une ville étrangère, ou à l'auberge dans quelque campagne ?

Chut ! Il était temps de boire son café et, après, il se sentirait mieux d'aplomb. Il n'était jamais très à son aise avant sa première tasse de café et sa première pipe.

Juste au moment où il tendait le bras vers le bouton de la porte, celle-ci s'ouvrait sans bruit et Mme Maigret paraissait, un plateau à la main, regardait le lit vide, puis le regardait, déçue, comme prête à pleurer.

— Tu t'es levé !

Elle était déjà toute fraîche, coiffée, parée d'un tablier clair.

— Moi qui me réjouissais de te servir ton petit déjeuner au lit !

Il avait cent fois essayé, délicatement, de lui faire entendre que ce n'était pas un plaisir pour lui, que cela lui donnait un malaise, qu'il se faisait l'impression d'un malade ou d'un impotent, mais le déjeuner au lit restait pour elle l'idéal des dimanches et des jours de fête.

— Tu ne veux pas te recoucher ?

Non ! Il n'en avait pas le courage.

— Viens, alors... Joyeux Noël !

— Joyeux Noël !... Tu m'en veux ?

Ils étaient dans la salle à manger, avec le plateau d'argent sur un coin de la table, la tasse de café qui fumait, les croissants dorés dans une serviette.

Posant sa pipe, il mangea un croissant, pour lui faire

plaisir, mais il restait debout, remarquait en regardant dehors :

— De la poussière de neige.

Ce n'était pas de la vraie neige. Il tombait du ciel comme une fine poussière blanche et cela lui rappelait que, quand il était petit, il tirait la langue pour en happer quelques grains.

Son regard se fixa sur la porte de l'immeuble d'en face, à gauche des entrepôts. Deux femmes venaient d'en sortir, sans chapeau. L'une d'elles, une blonde d'une trentaine d'années, avait jeté un manteau sur ses épaules, sans passer les manches, tandis que l'autre, plus âgée, se serrait dans un châle.

La blonde paraissait hésiter, prête à battre en retraite. La brune, toute petite et toute maigre, insistait, et Maigret eut l'impression qu'elle désignait ses fenêtres. Dans l'encadrement de la porte, derrière elles, la concierge parut, qui semblait venir à la rescousse de la maigre, et la jeune femme blonde se décida à traverser la rue, non sans se retourner comme avec inquiétude.

— Qu'est-ce que tu regardes ?

— Rien... des femmes...

— Qu'est-ce qu'elles font ?

— Elles ont l'air de venir ici.

Car toutes les deux, au milieu du boulevard, levaient la tête pour regarder dans sa direction.

— J'espère qu'on ne va pas te déranger le jour de Noël. Mon ménage n'est même pas fait.

Personne n'aurait pu s'en apercevoir car, en dehors du plateau, il n'y avait rien qui traînait et les meubles cirés n'étaient ternis par aucune poussière.

— Tu es sûr qu'elles viennent ici ?

— Nous verrons bien.

Il préféra, par précaution, aller se donner un coup de peigne, se brosser les dents et se passer un peu d'eau sur le visage. Il était encore dans la chambre, où il rallumait sa pipe, quand il entendit sonner à la porte. Mme Maigret dut se montrer coriace, car un bout de temps s'écoula avant qu'elle vînt le retrouver.

— Elles veulent absolument te parler, chuchota-
t-elle. Elles prétendent que c'est peut-être important,
qu'elles ont besoin d'un conseil. Je connais l'une des
deux.

— Laquelle?

— La petite maigre, Mlle Doncœur. Elle habite en
face, au même étage que nous, et travaille toute la
journée près de sa fenêtre. C'est une demoiselle très
bien, qui fait de la broderie fine pour une maison du
faubourg Saint-Honoré. Je me suis déjà demandé si
elle n'était pas amoureuse de toi.

— Pourquoi?

— Parce que, quand tu t'en vas, il lui arrive assez
souvent de se lever pour te suivre des yeux.

— Quel âge a-t-elle?

— Entre quarante-cinq et cinquante ans. Tu ne
passes pas un costume?

Pourquoi n'aurait-il pas le droit, alors qu'on venait
le déranger chez lui, un matin de Noël, à huit heures
et demie, de se montrer en robe de chambre? Sous
celle-ci, cependant, il enfila un pantalon, puis il ouvrit
la porte de la salle à manger, où les deux femmes se
tenaient debout.

— Excusez-moi, mesdames...

Peut-être, après tout, Mme Maigret avait-elle raison,
car Mlle Doncœur ne rougit pas, mais pâlit, sourit,
perdit son sourire qu'elle rattrapa aussitôt, ouvrit la
bouche sans trouver tout de suite quelque chose à dire.

Quant à la blonde, qui était parfaitement maîtresse
d'elle-même, elle prononça, non sans humeur :

— Ce n'est pas moi qui ai voulu venir.

— Voulez-vous vous donner la peine de vous
asseoir?

Il remarqua que la blonde, sous son manteau, était
en tenue d'intérieur et qu'elle ne portait pas de bas,
tandis que Mlle Doncœur était vêtue comme pour se
rendre à la messe.

— Vous vous demandez peut-être comment nous

avons eu l'audace de nous adresser à vous, commença cette dernière en cherchant ses mots. Comme tout le quartier, nous savons évidemment qui nous avons l'honneur d'avoir pour voisin...

Cette fois, elle rougissait légèrement, fixait le plateau.

— Nous vous empêchons de finir votre petit déjeuner.

— J'avais fini. Je vous écoute.

— Il s'est passé ce matin, ou plutôt cette nuit, dans notre immeuble, un événement si troublant que j'ai pensé tout de suite que c'était notre devoir de vous en parler. Mme Martin ne voulait pas vous déranger. Je lui ai dit...

— Vous habitez en face aussi, madame Martin ?

— Oui, monsieur.

Elle n'était pas contente, cela se voyait, d'avoir été poussée à cette démarche. Quant à Mlle Doncœur, elle reprenait son élan.

— Nous habitons le même étage, juste en face de vos fenêtres (elle rougit à nouveau, comme si cela constituait un aveu). M. Martin est souvent en voyage pour ses affaires, ce qui est compréhensible, puisqu'il est représentant de commerce. Depuis deux mois, leur petite fille est au lit, à la suite d'un accident ridicule.

Poliment, Maigret se tourna vers la blonde.

— Vous avez une fille, madame Martin ?

— C'est-à-dire que ce n'est pas notre fille, mais notre nièce. Sa maman est morte, il y a un peu plus de deux ans, et, depuis, l'enfant vit avec nous. Elle s'est cassé la jambe dans l'escalier et elle aurait dû être rétablie après six semaines s'il n'y avait eu des complications.

— Votre mari est hors ville actuellement ?

— Il doit se trouver en Dordogne.

— Je vous écoute, mademoiselle Doncœur.

Mme Maigret avait fait le tour par la salle de bains pour regagner sa cuisine où on l'entendait remuer des

casseroles. De temps en temps, Maigret jetait un coup
d'œil sur le ciel livide.

— Ce matin, je me suis levée de bonne heure,
comme d'habitude, pour aller à la première messe.

— Vous y êtes allée ?

— Oui. Je suis rentrée vers sept heures et demie,
car j'ai entendu trois messes. J'ai préparé mon petit
déjeuner. Vous avez pu voir de la lumière à ma fenêtre.

Il fit signe qu'il n'y avait pas pris garde.

— J'avais hâte d'aller porter quelques douceurs à
Colette, pour qui c'est un si triste Noël. Colette est la
nièce de Mme Martin.

— Quel âge a-t-elle ?

— Sept ans. C'est bien cela, madame Martin ?

— Elle aura sept ans en janvier.

— A huit heures, j'ai frappé à la porte de l'appartement.

— Je n'étais pas levée, dit la blonde. Il m'arrive
de dormir assez tard.

— Je disais donc que j'ai frappé et que Mme Martin
m'a fait attendre un instant, le temps de passer un
peignoir. J'avais les bras chargés et je lui ai demandé
si je pouvais remettre mes cadeaux à Colette.

Il sentait que la blonde avait eu le temps de tout
examiner dans l'appartement, non sans lui jeter de
temps en temps un regard aigu où il y avait de la
méfiance.

— Nous avons ouvert ensemble la porte de sa
chambre.

— L'enfant a une chambre pour elle seule ?

— Oui. Le logement se compose de deux chambres,
d'un cabinet de toilette, d'une salle à manger et d'une
cuisine. Mais il faut que je vous dise... Non ! Ce sera
pour tout à l'heure. J'en étais au moment où nous
avons ouvert la porte. Comme il faisait sombre dans
la pièce, Mme Martin a tourné le commutateur électrique.

— Colette était éveillée ?

— Oui. On voyait bien qu'il y avait longtemps

qu'elle ne dormait plus et qu'elle attendait. Vous savez comment sont les enfants le matin de Noël. Si elle avait pu se servir de ses jambes, elle se serait sans doute levée pour aller voir ce que le père Noël lui avait apporté. Peut-être aussi qu'une autre enfant aurait appelé Mais c'est déjà une petite femme. On sent qu'elle pense beaucoup, qu'elle est plus vieille que son âge.

Mme Martin regarda par la fenêtre à son tour et Maigret chercha à savoir quel était son appartement. Cela devait être celui de droite, tout au bout de l'immeuble, où deux fenêtres étaient éclairées.

Mlle Doncœur poursuivait :

— Je lui ai souhaité joyeux Noël. Je lui ai dit textuellement :

» — Regarde, chérie, ce que le père Noël a déposé pour toi dans ma chambre. »

Les doigts de Mme Martin s'agitaient, se crispaient.

— Or savez-vous ce qu'elle m'a répondu, sans regarder ce que je lui apportais — ce n'étaient d'ailleurs que des babioles.

» — Je l'ai vu.

» — Tu as vu qui ?

» — Le père Noël.

» — Quand l'as-tu vu ? Où ?

» — Ici, cette nuit. Il est venu dans ma chambre.

» C'est bien ce qu'elle nous a dit, n'est-ce pas, madame Martin ? D'une autre enfant cela aurait fait sourire, mais je vous ai dit que Colette est déjà une petite femme. Elle ne plaisantait pas.

» — Comment as-tu pu le voir, puisqu'il faisait noir ?

» — Il avait une lumière.

» — Il a allumé la lampe ?

» — Non. Il avait une lumière électrique. Regarde. maman Loraine...

» Car il faut que je vous dise que la petite appelle Mme Martin maman, ce qui est naturel étant donné qu'elle n'a plus sa mère et que Mme Martin la remplace... »

Tout cela, aux oreilles de Maigret, commençait à se confondre en un ronron continu. Il n'avait pas encore bu sa seconde tasse de café. Sa pipe venait de s'éteindre.

— Elle a vraiment vu quelqu'un? questionna-t-il sans conviction.

— Oui, monsieur le commissaire. Et c'est pour cela que j'ai insisté pour que Mme Martin vienne vous parler. Nous en avons eu la preuve. La petite, avec un sourire malin, a écarté son drap et nous a montré, dans le lit, serrée contre elle, une magnifique poupée qui n'était pas la veille dans la maison.

— Vous ne lui avez pas donné de poupée, Mme Martin?

— J'allais lui en donner une, beaucoup moins belle, que j'ai achetée hier après-midi aux Galeries. Je la tenais derrière mon dos quand nous sommes entrées dans la chambre.

— Cela signifie donc que quelqu'un s'est introduit cette nuit dans votre appartement?

— Ce n'est pas tout, s'empressa de prononcer Mlle Doncœur, maintenant lancée. Colette n'est pas une enfant à mentir, ni à se tromper. Nous l'avons questionnée, sa maman et moi. Elle est sûre d'avoir vu quelqu'un habillé en Père Noël, avec une barbe blanche et une ample robe rouge.

— A quel moment s'est-elle éveillée?

— Elle ne sait pas. C'était au cours de la nuit. Elle a ouvert les yeux parce qu'elle croyait voir une lumière, et il y avait en effet une lumière dans la chambre, éclairant une partie du plancher, en face de la cheminée.

— Je ne comprends pas ce que cela signifie, soupira Mme Martin. A moins que mon mari en sache plus long que moi...

Mlle Doncœur tenait à garder la direction de l'entretien. On comprenait que c'était elle qui avait interrogé l'enfant sans lui faire grâce d'un détail, comme c'était elle qui avait pensé à Maigret.

— Le père Noël, a dit Colette, était penché sur le plancher, comme accroupi, et avait l'air de travailler.

— Elle n'a pas eu peur ?

— Non. Elle l'a regardé et, ce matin, elle nous a dit qu'il était occupé à faire un trou dans le plancher. Elle a cru que c'était par là qu'il voulait passer pour entrer chez les gens d'en dessous, les Delorme, qui ont un petit garçon de trois ans, et elle a ajouté que la cheminée était sans doute trop étroite.

» L'homme a dû se sentir observé. Il paraît qu'il s'est levé et qu'il est venu vers le lit sur lequel il a posé une grande poupée, en mettant un doigt sur ses lèvres.

— Elle l'a vu sortir ?

— Oui.

— Par le plancher ?

— Non. Par la porte.

— Dans quelle pièce de l'appartement donne cette porte ?

— Elle ouvre directement sur le corridor. C'est une chambre qui, avant, était louée à part. Elle communique à la fois avec le logement et avec le couloir.

— Elle n'était pas fermée à clef ?

— Elle l'était, intervint Mme Martin. Je n'allais pas laisser l'enfant dans une chambre non fermée.

— La porte a été forcée ?

— Probablement. Je ne sais pas. Mlle Doncœur a tout de suite proposé de venir vous voir.

— Vous avez découvert un trou dans le plancher ?

Mme Martin haussa les épaules, comme excédée, mais la vieille fille répondit pour elle.

— Pas un trou à proprement parler, mais on voit très bien que des lattes ont été soulevées.

— Dites-moi, madame Martin, avez-vous une idée de ce qui pouvait se trouver sous ce plancher ?

— Non, monsieur.

— Il y a longtemps que vous habitez cet appartement ?

— Depuis mon mariage, il y a cinq ans.

— Cette chambre faisait déjà partie du logement?

— Oui.

— Vous savez qui l'habitait avant vous?

— Mon mari. Il a trente-huit ans. Quand je l'ai épousé, il avait déjà trente-trois ans et vivait dans ses meubles ; il aimait, quand il rentrait à Paris, après une de ses tournées, se trouver chez lui.

— Vous ne croyez pas qu'il a pu vouloir faire une surprise à Colette?

— Il est à six ou sept cents kilomètres d'ici.

— Vous savez où?

— Plus que probablement à Bergerac. Ses tournées sont organisées à l'avance et il est rare qu'il ne suive pas l'horaire.

— Dans quelle branche travaille-t-il?

— Il représente les montres Zénith pour le Centre et le Sud-Ouest. C'est une très grosse affaire, vous le savez sans doute, et il a une excellente situation.

— C'est le meilleur homme de la terre! s'écria Mlle Doncœur, qui corrigea, les joues roses :

— Après vous!

— En somme, si je comprends bien, quelqu'un s'est introduit cette nuit chez vous sous un déguisement de Père Noël!

— La petite le prétend.

— Vous n'avez rien entendu? Votre chambre est loin de celle de l'enfant?

— Il y a la salle à manger entre les deux.

— Vous ne laissez pas les portes de communication ouvertes, la nuit?

— Ce n'est pas nécessaire. Colette n'est pas peureuse et, d'habitude, elle ne se réveille pas. Si elle a à m'appeler, elle dispose d'une petite sonnette en cuivre placée sur sa table de nuit.

— Vous êtes sortie, hier au soir?

— Non, monsieur le commissaire, répondit-elle sèchement, comme vexée.

— Vous n'avez reçu personne?

— Je n'ai pas l'habitude de recevoir en l'absence de mon mari.

Maigret jeta un coup d'œil à Mlle Doncœur, qui ne broncha pas, ce qui indiquait que cela devait être exact.

— Vous vous êtes couchée tard ?

— Tout de suite après que la radio a joué le *Minuit, chrétiens*. J'avais lu jusqu'alors.

— Vous n'avez rien entendu d'anormal ?

— Non.

— Avez-vous demandé à la concierge si elle a tiré le cordon pour des étrangers ?

Mlle Doncœur intervint derechef.

— Je lui en ai parlé. Elle prétend que non.

— Et, ce matin, il ne manquait rien chez vous Mme Martin ? Vous n'avez pas l'impression qu'on soit entré dans la salle à manger ?

— Non.

— Qui est avec l'enfant, en ce moment ?

— Personne. Elle a l'habitude de rester seule. Je ne peux pas être toute la journée à la maison. Il y a le marché, les courses à faire...

— Je comprends. Colette est orpheline, m'avez-vous dit ?

— De mère.

— Son père, donc, vit encore ? Où est-il ? Qui est-il ?

— C'est le frère de mon mari, Paul Martin. Quant à vous dire où il est...

Elle fit un geste vague.

— Quand l'avez-vous vu pour la dernière fois ?

— Il y a au moins un mois. Plus que cela. C'était aux alentours de la Toussaint. Il finissait une neuvaine.

— Pardon ?

Elle répondit avec une pointe d'humeur :

— Autant vous le dire tout de suite puisque, maintenant, nous voilà plongés dans les histoires de la famille.

On sentait qu'elle en voulait à Mlle Doncœur, qu'elle rendait responsable de la situation.

— Mon beau-frère, surtout depuis qu'il a perdu sa femme, n'est plus un homme comme il faut.

— Que voulez-vous dire au juste ?

— Il boit. Il buvait déjà avant, mais pas d'une façon excessive, et cela ne lui faisait pas faire de bêtises. Il travaillait régulièrement. Il avait même une assez bonne situation dans un magasin de meubles du faubourg Saint-Antoine. Depuis l'accident...

— L'accident arrivé à sa fille ?

— Je parle de celui qui a causé la mort de sa femme. Un dimanche, il s'est mis en tête d'emprunter l'auto d'un camarade et d'emmener sa femme et l'enfant à la campagne. Colette était toute petite.

— A quelle époque était-ce ?

— Il y a environ trois ans. Ils sont allés déjeuner dans une guinguette, du côté de Mantes-la-Jolie. Paul n'a pas pu se retenir de boire du vin blanc et cela lui est monté à la tête. Quand il est revenu vers Paris, il chantait à tue-tête et l'accident est arrivé près du pont de Bougival. Sa femme a été tuée sur le coup. Il a eu lui-même le crâne défoncé et c'est miracle qu'il ait survécu. Colette s'en est tirée indemne. Lui, depuis, ce n'est plus un homme. Nous avons pris la petite chez nous. Nous l'avons pratiquement adoptée. Il vient la voir de temps en temps, mais seulement quand il est à peu près sobre. Puis tout de suite il replonge...

— Vous savez où il vit ?

Un geste vague.

— Partout. Il nous est arrivé de le rencontrer traînant la jambe à la Bastille comme un mendiant. Certaines fois, il vend des journaux dans la rue. J'en parle devant Mlle Doncœur car, malheureusement, toute la maison est au courant.

— Vous ne pensez pas qu'il a pu avoir l'idée de se déguiser en Père Noël pour venir voir sa fille ?

— C'est ce que j'ai dit tout de suite à Mlle Doncœur. Elle a insisté pour venir vous parler quand même.

— Parce qu'il n'aurait pas eu de raison pour défaire les lames du plancher, riposta celle-ci non sans aigreur.

— Qui sait si votre mari n'est pas rentré à Paris plus tôt qu'il le prévoyait et si...

— C'est sûrement quelque chose comme ça. Je ne suis pas inquiète. Sans Mlle Doncœur...

Encore! Décidément, elle n'avait pas traversé le boulevard de gaieté de cœur!

— Pouvez-vous me dire où votre mari a des chances d'être descendu?

— A l'*Hôtel de Bordeaux*, à Bergerac.

— Vous n'avez pas pensé à lui téléphoner?

— Il n'y a pas le téléphone dans la maison, sauf chez les gens du premier, qui n'aiment pas être dérangés.

— Verriez-vous un inconvénient à ce que j'appelle l'*Hôtel de Bordeaux*?

Elle acquiesça d'abord, puis hésita:

— Il va se demander ce qui se passe.

— Vous pourrez lui parler.

— Il n'est pas habitué à ce que je lui téléphone.

— Vous préférez rester dans l'incertitude?

— Non. Comme vous voudrez. Je lui parlerai.

Il décrocha l'appareil, demanda la communication. Dix minutes plus tard, il avait l'*Hôtel de Bordeaux* au bout du fil et passait le récepteur à Mme Martin.

— Allô! Je voudrais parler à M. Martin, s'il vous plaît. M. Jean Martin, oui... Cela ne fait rien... Éveillez-le...

Elle expliqua, la main sur le cornet:

— Il dort encore. On est allé l'appeler.

Elle cherchait visiblement ce qu'elle allait dire.

— Allô! C'est toi?... Comment?... Oui, joyeux Noël!... Tout va bien, oui... Colette va très bien... Non, ce n'est pas seulement pour ça que je te téléphone... Mais non! Rien de mauvais, ne t'inquiète pas...

Elle répéta en détachant les syllabes:

— *Je te dis de ne pas t'inquiéter...* Seulement, il y a eu, la nuit dernière, un incident bizarre... Quelqu'un, habillé en Père Noël, est entré dans la chambre

de Colette... Mais non! Il ne lui a pas fait de mal...
Il lui a donné une grande poupée... *Poupée*, oui... Et
il a fait quelque chose au plancher... Il a soulevé deux
lames qu'il a ensuite remises en place hâtivement...
Mlle Doncœur a voulu que j'en parle au commissaire
qui habite en face... C'est de chez lui que je te téléphone... Tu ne comprends pas?... Moi non plus...
Tu veux que je te le passe?... Je vais le lui demander...

Et, à Maigret :

— Il voudrait vous parler.

Une bonne voix, au bout du fil, un homme anxieux,
ne sachant visiblement que penser.

— Vous êtes sûr qu'on n'a pas fait de mal à ma
femme et à la petite?... C'est tellement ahurissant!...
S'il n'y avait que la poupée, je penserais que c'est
mon frère... Loraine vous en parlera... C'est ma
femme... Demandez-lui des détails... Mais il ne se
serait pas amusé à soulever des lames de plancher...
Vous ne pensez pas que je ferais mieux de revenir
tout de suite? J'ai un train vers trois heures cet après-
midi... Comment?... Je peux compter sur vous pour
veiller sur elles?...

Loraine reprit l'appareil.

— Tu vois! Le commissaire est confiant. Il affirme
qu'il n'y a aucun danger. Ce n'est pas la peine d'interrompre ta tournée juste au moment où tu as des
chances d'être nommé à Paris...

Mlle Doncœur la regardait fixement et il n'y avait
pas beaucoup de tendresse dans son regard.

— Je te promets de te téléphoner ou de t'envoyer
une dépêche s'il y avait du nouveau. Elle est tranquille. Elle joue avec sa poupée. Je n'ai pas encore
eu le temps de lui donner ce que tu as envoyé pour
elle. J'y vais tout de suite...

Elle raccrocha, prononça :

— Vous voyez!

Puis, après un silence :

— Je vous demande pardon de vous avoir dé-
rangé. Ce n'est pas ma faute. Je suis sûre qu'il s'agit

d'une mauvaise plaisanterie, à moins que ce soit une idée de mon beau-frère. Quand il a bu, on ne peut pas prévoir ce qui lui passera par la tête...

— Vous ne comptez pas le voir aujourd'hui ? Vous ne croyez pas qu'il voudra rendre visite à sa fille ?

— Cela dépend. S'il a bu, non. Il a soin de ne pas se montrer à elle dans cet état. Il s'arrange quand il vient pour être aussi décent que possible.

— Puis-je vous demander la permission d'aller tout à l'heure bavarder avec Colette ?

— Je n'ai pas à vous en empêcher. Si vous croyez que c'est utile...

— Je vous remercie, monsieur Maigret, s'écria Mlle Doncœur avec un regard à la fois complice et reconnaissant. Cette enfant est tellement intéressante ! Vous verrez !

Elle gagnait la porte à reculons. Quelques instants plus tard, Maigret les voyait traverser le boulevard l'une derrière l'autre, la demoiselle marchant sur les talons de Mme Martin et se retournant pour lancer un regard aux fenêtres du commissaire.

Des oignons rissolaient dans la cuisine, dont Mme Maigret ouvrait la porte en disant avec douceur :

— Tu es content ?

Chut ! Il ne fallait même pas avoir l'air de comprendre. On ne lui laissait pas le loisir de penser, en ce matin de Noël, au vieux couple qu'ils étaient, sans personne à gâter.

Il était temps de se raser pour aller voir Colette.

CHAPITRE

2

C'EST AU BEAU MI-
lieu de sa toilette, au moment où il allait mouiller
son blaireau, qu'il avait décidé de téléphoner. Il ne
s'était pas donné la peine de passer sa robe de chambre ;
il était assis en pyjama dans le fauteuil de la salle à
manger, *son* fauteuil, près de la fenêtre, à attendre la
communication, en regardant la fumée monter lentement de toutes les cheminées.

La sonnerie, là-bas, quai des Orfèvres, n'avait
pas pour lui le même son que les autres sonneries et
il croyait voir les grands couloirs déserts, les portes
ouvertes sur des bureaux vides, le standardiste qui
appelait Lucas en lui disant :

— C'est le patron!

Il se faisait un peu l'impression d'une des amies de
sa femme pour qui le comble du bonheur — qu'elle
s'offrait presque chaque jour — était de passer la
matinée au lit, fenêtres et rideaux clos, dans la lumière douce d'une veilleuse, et d'appeler, au petit
bonheur, l'une ou l'autre de ses amies.

— Comment, il est dix heures? Quel temps fait-il

dehors? Il pleut ? Et vous êtes déjà sortie ? Vous avez
fait votre marché ?

Elle cherchait ainsi, au bout du fil, des échos de
l'agitation du dehors, tout en s'enfonçant de plus en
plus voluptueusement dans la moiteur de son lit.

— C'est vous, patron ?

Maigret aussi avait envie de demander à Lucas
qui était de garde avec lui, ce qu'ils faisaient l'un et
l'autre, quelle était, ce matin, la physionomie de la
maison.

— Rien de nouveau ? Pas trop de travail ?

— Presque rien. Du courant...

— Je voudrais que tu essaies de m'avoir quelques
renseignements. Je pense que tu pourras les obtenir
par téléphone. Tout d'abord, procure-toi la liste des
condamnés qui ont été relâchés depuis deux mois,
mettons trois mois.

— De quelle prison ?

— De toutes les prisons. Ne t'occupe que de ceux
qui ont purgé une peine d'au moins cinq ans. Essaie
de savoir s'il y en a un, parmi eux, qui, à une époque
de sa vie, aurait vécu boulevard Richard-Lenoir.
Tu entends ?

— Je prends note.

Lucas devait être ahuri, mais n'en laissait rien
paraître.

— Autre chose. Il faudrait retrouver un certain
Paul Martin, un ivrogne, sans domicile fixe, qui
traîne assez souvent dans le quartier de la Bastille
Ne pas l'arrêter. Ne pas le molester. Savoir où il a
passé la nuit de Noël. Les commissariats pourront
t'aider.

Au fond, contrairement à l'amie au téléphone, cela
le gênait d'être chez lui, dans son fauteuil, en pyjama,
les joues non rasées, à regarder un paysage familier
et immobile où seules fumaient les cheminées, tandis
qu'à l'autre bout du fil le brave Lucas était de service depuis six heures du matin et avait déjà dû déballer ses sandwiches.

— Ce n'est pas tout, vieux. Appelle Bergerac. A l'*Hôtel de Bordeaux*, il y a un voyageur de commerce nommé Jean Martin. Non! Jean! Ce n'est pas le même. C'est son frère. Je voudrais savoir si, dans la journée d'hier ou dans la nuit, il n'a pas reçu un appel de Paris, ou un télégramme. Et, ma foi, autant demander où il a passé sa soirée. Je crois que c'est tout.

— Je vous rappelle?

— Pas tout de suite. Il faut que je sorte. C'est moi qui te rappellerai.

— Il s'est passé quelque chose dans votre quartier?

— Je ne sais pas encore. Peut-être.

Mme Maigret vint lui parler dans la salle de bains pendant qu'il finissait sa toilette. Et, à cause des cheminées, il ne mit pas son pardessus. De les voir, en effet, avec leur fumée lente qui mettait un certain temps à se fondre dans le ciel, on imaginait, derrière les fenêtres, des intérieurs surchauffés, et il allait passer un bon moment dans des logements exigus, où on ne l'inviterait pas à se mettre à l'aise. Il préférait traverser le boulevard en voisin, avec juste son chapeau sur la tête.

L'immeuble, comme celui qu'il habitait, était vieux, mais propre, un peu triste, surtout par ce matin gris de décembre. Il évita de s'arrêter chez la concierge, qui le regarda passer avec un peu de dépit et, tandis qu'il montait l'escalier, des portes s'entrouvraient sans bruit sur son passage, il entendait des pas feutrés, des chuchotements.

Au troisième, Mlle Doncœur, qui avait dû le guetter par la fenêtre, l'attendait dans le corridor, à la fois intimidée et surexcitée comme s'il s'était agi d'un rendez-vous d'amour.

— Par ici, monsieur Maigret. Elle est sortie il y a un bon moment.

Il fronça les sourcils et elle le remarqua.

— Je lui ai dit qu'elle avait tort, que vous alliez venir, qu'elle ferait mieux de rester chez elle. Elle m'a répondu qu'elle n'avait pas fait son marché hier,

qu'il manquait de tout à la maison et que, plus tard,
elle ne trouverait plus de magasins ouverts. Entrez.

Elle se tenait devant la porte du fond, qui était
celle d'une salle à manger assez petite, assez sombre,
mais propre et sans désordre.

— Je garde la petite en l'attendant. Colette se
réjouit de vous voir, car je lui ai parlé de vous. Elle
a seulement peur que vous lui repreniez sa poupée.

— Quand Mme Martin a-t-elle décidé de sortir ?

— Tout de suite après que nous sommes revenues
de chez vous. Elle a commencé à s'habiller.

— Elle a fait une toilette complète ?

— Je ne comprends pas ce que vous voulez dire.

— Je suppose que, pour aller faire des courses
dans le quartier, elle ne s'habille pas de la même façon
que pour aller en ville ?

— Elle est très bien habillée, avec son chapeau
et ses gants. Elle a emporté son sac à provisions.

Avant de s'occuper de Colette, Maigret entra dans
la cuisine où traînaient les restes d'un petit déjeuner.

— Elle avait mangé avant de venir me voir ?

— Non. Je ne lui en ai pas donné le temps.

— Elle a mangé après ?

— Non plus. Elle s'est juste préparé une tasse
de café noir. C'est moi qui ai donné le petit déjeuner
à Colette pendant que Mme Martin s'habillait.

Sur l'appui de la fenêtre qui donnait sur la cour, il
y avait un garde-manger et Maigret l'examina avec
soin, y vit de la viande froide, du beurre, des œufs,
des légumes. Dans le buffet de la cuisine, il trouva
deux pains frais qui n'étaient pas entamés. Colette
avait mangé des croissants avec son chocolat.

— Vous connaissez bien Mme Martin ?

— C'est une voisine, n'est-ce pas ? Je la vois davantage depuis que Colette est couchée, parce qu'elle
me demande souvent de jeter un coup d'œil à la
petite quand elle sort.

— Elle sort beaucoup ?

— Assez peu. Juste pour des courses.

Quelque chose l'avait frappé quand il était entré, qu'il essayait de définir, quelque chose dans l'atmosphère, dans l'arrangement des meubles, dans le genre d'ordre qui régnait, et même dans l'odeur. C'est en regardant Mlle Doncœur qu'il trouva, ou crut trouver.

On lui avait dit tout à l'heure que Martin occupait déjà l'appartement avant son mariage. Or, malgré la présence de Mme Martin depuis déjà cinq années, c'était resté un appartement de célibataire. Par exemple, il désignait, dans la salle à manger, deux portraits agrandis, des deux côtés de la cheminée.

— Qui est-ce ?

— Le père et la mère de M. Martin.

— Il n'y a pas de photos des parents de Mme Martin ?

— Je n'ai jamais entendu parler d'eux. Je suppose qu'elle est orpheline.

Même la chambre à coucher était sans coquetterie, sans féminité. Il ouvrit une penderie et, à côté de vêtements d'homme soigneusement rangés, il vit des vêtements de femme, surtout des costumes tailleur, des robes très sobres. Il n'osa pas ouvrir les tiroirs, mais il était sûr qu'ils ne contenaient pas de colifichets, ni de ces petits riens sans valeur que les femmes ont coutume d'amasser.

— Mademoiselle Doncœur ! appelait une petite voix calme.

— Allons voir Colette, décida-t-il.

La chambre de l'enfant aussi était sévère, presque nue, avec, dans un lit trop grand pour elle, une petite fille au visage grave, aux yeux interrogateurs, mais confiants.

— C'est vous, monsieur, qui êtes le commissaire ?

— C'est moi, mon petit. N'aie pas peur.

— Je n'ai pas peur. Maman Loraine n'est pas rentrée ?

Le mot le frappa. Les Martin n'avaient-ils pas en quelque sorte adopté leur nièce ?

Or l'enfant ne disait pas *maman* tout court, mais *maman Loraine*.

— Est-ce que vous croyez, vous, que c'est le Père Noël qui est venu me voir cette nuit ?

— J'en suis persuadé.

— Maman Loraine ne le croit pas. Elle ne me croit jamais.

Elle avait un visage chiffonné, des yeux très vifs, au regard insistant, et le plâtre qui gonflait une de ses jambes jusqu'au haut de la cuisse formait une petite montagne sous la couverture.

Mlle Doncœur se tenait dans l'encadrement de la porte et, délicatement, afin de les laisser seuls, elle annonça :

— Je vais vite chez moi, voir si rien ne brûle sur le feu.

Maigret, qui s'était assis près du lit, ne savait comment s'y prendre. A vrai dire, il ne savait quelle question poser.

— Tu aimes beaucoup maman Loraine ?

— Oui, monsieur.

Elle répondait sagement, sans enthousiasme, mais sans hésitation.

— Et ton papa ?

— Lequel ? Parce que j'ai deux papas, vous savez, papa Paul et papa Jean.

— Il y a longtemps que tu as vu papa Paul ?

— Je ne sais pas. Peut-être des semaines. Il m'a promis de m'apporter un jouet à Noël et il n'est pas encore venu. Il a dû être malade.

— Il est souvent malade ?

— Souvent, oui. Quand il est malade, il ne vient pas me voir.

— Et ton papa Jean ?

— Il est en voyage, mais il reviendra pour le Nouvel An. Peut-être qu'alors il sera nommé à Paris et qu'il ne sera plus obligé de partir. Il sera content et moi aussi.

— Est-ce que, depuis que tu es couchée, il y a beaucoup d'amis qui viennent te voir ?

— Quels amis? Les petites filles de l'école ne savent pas où j'habite. Ou, si elles le savent, elles n'ont pas le droit de venir toutes seules.

— Des amis de maman Loraine, ou de ton papa?

— Il ne vient jamais personne.

— Jamais? Tu es sûre?

— Seulement l'homme du gaz, ou de l'électricité. Je les entends, car la porte est presque toujours ouverte. Je les connais. Deux fois, seulement, il est venu quelqu'un.

— Il y a longtemps?

— La première fois, c'était le lendemain de mon accident. Je m'en souviens parce que le docteur venait justement de sortir.

— Qui était-ce?

— Je ne l'ai pas vu. J'ai entendu qu'il frappait à l'autre porte, qu'il parlait, et maman Loraine a tout de suite fermé la porte de ma chambre. Ils ont parlé bas pendant assez longtemps. Après, elle m'a dit qu'il était venu l'ennuyer pour une assurance. Je ne sais pas ce que c'est.

— Et il est revenu?

— Il y a cinq ou six jours. Cette fois-ci, c'était le soir, quand on avait déjà éteint dans ma chambre. Je ne dormais pas encore. J'ai entendu qu'on frappait, puis qu'on parlait bas, comme la première fois. J'ai bien su que ce n'était pas Mlle Doncœur, qui vient parfois le soir tenir compagnie à maman Loraine. J'ai eu, plus tard, l'impression qu'ils se disputaient et j'ai eu peur, j'ai appelé, maman Loraine est venue me dire que c'était encore pour l'assurance, que je devais dormir.

— Il est resté longtemps?

— Je ne sais pas. Je crois que je me suis endormie.

— Tu ne l'as vu aucune des deux fois?

— Non. Mais je reconnaîtrais sa voix.

— Même quand il parle bas?

— Oui. Justement parce qu'il parle bas et que cela fait un bruit comme un gros bourdon. Je peux garder la poupée, n'est-ce pas? Maman Loraine m'a acheté deux boîtes de bonbons et un petit nécessaire de couture. Elle m'avait acheté une poupée aussi, beaucoup moins grande que celle du Père Noël, parce qu'elle n'est pas riche. Elle me l'a montrée ce matin avant de partir, puis elle l'a remise dans la boîte, car, puisque j'ai celle-ci, je n'en ai pas besoin. Le magasin la reprendra.

L'appartement était surchauffé, les pièces étroites, sans beaucoup d'air, et pourtant Maigret avait une impression de froideur. La maison ressemblait à la sienne, en face. Pourquoi, ici, le monde lui paraissait-il plus petit, plus mesquin?

Il se pencha sur le plancher, à l'endroit où les deux lames avaient été soulevées, et il ne vit rien qu'une cavité poussiéreuse, légèrement humide, comme sous tous les planchers. Quelques éraflures dans le bois indiquaient qu'on s'était servi d'un ciseau ou d'un instrument de ce genre.

Il alla examiner la porte et y trouva aussi des traces de pesée. C'était du travail d'amateur, du travail facile, au surplus.

— Le Père Noël n'a pas été fâché quand il a vu que tu le regardais?

— Non, monsieur. Il était occupé à faire un trou dans le plancher pour aller voir le petit garçon du second.

— Il ne t'a rien dit?

— Je crois qu'il a souri. Je ne suis pas sûre, à cause de sa barbe. Il ne faisait pas très clair. Je suis certaine qu'il a mis un doigt sur sa bouche, pour que je n'appelle pas, parce que les grandes personnes n'ont pas le droit de le rencontrer. Est-ce que vous l'avez déjà rencontré, vous?

— Il y a très longtemps.

— Quand vous étiez petit?

Il entendit des pas dans le corridor. La porte s'ouvrit. C'était Mme Martin, en tailleur gris, un filet de provisions à la main, un petit chapeau beige sur la tête.

Elle avait visiblement froid. La peau de son visage était tendue et très blanche, mais elle avait dû se presser, monter l'escalier en hâte, car deux petits cercles rouges paraissaient sur ses joues et sa respiration était courte.

Elle ne sourit pas, demanda à Maigret :

— Elle a été sage?

Puis, se débarrassant de sa jaquette :

— Je m'excuse de vous avoir fait attendre. Il fallait que je sorte pour acheter diverses choses et, plus tard, j'aurais trouvé les magasins fermés.

— Vous n'avez rencontré personne?

— Que voulez-vous dire?

— Rien. Je me demandais si personne n'avait tenté de vous parler.

Elle avait eu le temps d'aller beaucoup plus loin que la rue Amelot ou la rue du Chemin-Vert, où étaient la plupart des boutiques du quartier. Elle avait même pu prendre un taxi, ou le métro, gagner presque n'importe quel point de Paris.

Dans toute la maison, les locataires devaient rester aux aguets et M\ :sup :`lle` Doncœur venait demander si on avait besoin d'elle. M\ :sup :`me` Martin allait certainement dire non, mais ce fut Maigret qui répondit :

— J'aimerais que vous restiez avec Colette pendant que je passe à côté.

Elle comprit qu'il lui demandait de retenir l'attention de l'enfant pendant qu'il s'entretiendrait avec Mme Martin. Celle-ci dut comprendre aussi, mais n'en laissa rien voir.

— Entrez, je vous en prie. Vous permettez que je me débarrasse?

Elle allait poser ses provisions dans la cuisine, puis retirait son chapeau, faisait un peu bouffer ses cheveux d'un blond pâle. La porte de la chambre refermée, elle dit :

— Mlle Doncœur est très excitée. Quelle aubaine pour une vieille fille, n'est-ce pas? surtout pour une vieille fille qui collectionne les articles de journaux

sur un certain commissaire et qui a enfin celui-ci dans
sa propre maison! Vous permettez?

Elle tira une cigarette d'un étui d'argent, en tapota
le bout, l'alluma avec un briquet. Peut-être fut-ce
ce geste qui incita Maigret à lui poser une question.

— Vous ne travaillez pas, madame Martin?

— Il me serait difficile de travailler et de m'occuper
du ménage et de la petite par surcroît, même quand
elle va à l'école. D'ailleurs, mon mari ne permet pas
que je travaille.

— Mais vous travailliez avant de le connaître?

— Bien entendu. Il fallait que je gagne ma vie.
Vous ne voulez pas vous asseoir?

Il s'assit dans un fauteuil rustique à fond de paille
tressée, cependant qu'elle s'appuyait d'une cuisse
au bord de la table.

— Vous étiez dactylo?

— Je l'ai été.

— Longtemps?

— Assez longtemps.

— Vous l'étiez encore quand vous avez rencontré
Martin? Je m'excuse de vous poser ces questions.

— C'est votre métier.

— Vous vous êtes mariée il y a cinq ans. Où tra-
vailliez-vous à cette époque? Un instant. Puis-je
vous demander votre âge?

— Trente-trois ans. J'avais donc vingt-huit ans
et je travaillais chez M. Lorilleux, au Palais-Royal.

— Comme secrétaire?

— M. Lorilleux tenait une bijouterie, ou plus
exactement un commerce de souvenirs et de monnaies
anciennes. Vous connaissez ces vieux magasins du
Palais-Royal. J'étais à la fois vendeuse, secrétaire
et comptable. C'était moi qui tenais le magasin quand
il s'absentait.

— Il était marié?

— Et père de trois enfants.

— Vous l'avez quitté pour épouser Martin?

— Pas exactement. Jean n'aimait pas que je con-

tinue à travailler, mais il ne gagnait pas trop largement
sa vie et j'avais une bonne place. Les premiers mois,
je l'ai gardée.

— Ensuite ?

— Ensuite, il s'est passé une chose à la fois simple
et inattendue. Un matin, à neuf heures, comme d'habitude, je me suis présentée à la porte du magasin et
je l'ai trouvée fermée. J'ai attendu, croyant que
M. Lorilleux était en retard.

— Il habitait ailleurs ?

— Il habitait avec sa famille rue Mazarine. A neuf
heures et demie, je me suis inquiétée.

— Il était mort ?

— Non. J'ai téléphoné à sa femme, qui m'a dit
qu'il avait quitté l'appartement à huit heures, comme
d'habitude.

— Vous téléphoniez d'où ?

— De la ganterie à côté du magasin. J'ai passé la
matinée à attendre. Sa femme est venue me rejoindre.
Nous sommes allées ensemble au commissariat de
police où, soit dit en passant, on n'a pas pris la chose
au tragique. On s'est contenté de demander à sa femme
s'il était cardiaque, s'il avait une liaison, etc. On ne
l'a jamais revu et on n'a jamais reçu de ses nouvelles.
Le fonds de commerce a été cédé à des Polonais et
mon mari a insisté pour que je ne reprenne pas de
travail.

— C'était combien de temps après votre mariage ?

— Quatre mois.

— Votre mari voyageait déjà dans le Sud-Ouest ?

— Il avait la même tournée qu'à présent.

— Il se trouvait à Paris au moment de la disparition de votre patron ?

— Non. Je ne crois pas.

— La police n'a pas examiné les locaux ?

— Tout était en ordre, exactement comme la veille
au soir. Rien n'avait disparu.

— Vous savez ce qu'est devenue Mme Lorilleux ?

— Elle a vécu un temps avec l'argent qu'elle a

retiré du fonds de commerce. Ses enfants doivent
être grands, maintenant, sans doute mariés. Elle
tient une petite mercerie non loin d'ici, rue du Pas-
de-la-Mule.

— Vous êtes restée en relations avec elle ?

— Il m'est arrivé d'aller dans son magasin. C'est
même comme cela que j'ai su qu'elle était devenue
mercière. Au premier abord, je ne l'ai pas reconnue.

— Il y a combien de temps de cela ?

— Je ne sais pas. Environ six mois.

— A-t-elle le téléphone ?

— Je l'ignore. Pourquoi ?

— Quel genre d'homme était Lorilleux ?

— Vous voulez dire physiquement ?

— Physiquement d'abord.

— Il était grand, plus grand que vous, et encore
plus large. C'était un gros, mais un gros mou, vous
voyez ce que je veux dire, pas très soigné de sa personne.

— Quel âge ?

— La cinquantaine. Je ne sais pas au juste. Il
portait une petite moustache poivre et sel et ses
vêtements étaient toujours trop larges.

— Vous étiez au courant de ses habitudes ?

— Il venait au magasin à pied, chaque matin, et
arrivait à peu près un quart d'heure avant moi, de
sorte qu'il avait fini de dépouiller le courrier lorsque
j'entrais. Il ne parlait pas beaucoup. C'était plutôt
un triste. Il passait la plus grande partie de ses journées dans le petit bureau du fond.

— Pas d'aventures féminines ?

— Pas que je sache.

— Il ne vous faisait pas la cour ?

Elle laissa tomber sèchement :

— Non !

— Il tenait beaucoup à vous ?

— Je crois que je lui étais une aide précieuse.

— Votre mari l'a rencontré ?

— Ils ne se sont jamais parlé. Jean venait parfois

m'attendre à la sortie du magasin, mais il se tenait à une certaine distance. C'est tout ce que vous voulez savoir?

Il y avait de l'impatience, peut-être une pointe de colère dans sa voix.

— Je vous ferai remarquer, madame Martin, que c'est vous qui êtes venue me chercher.

— Parce que cette vieille folle a sauté sur l'occasion de vous voir de plus près et m'a entraînée presque de force.

— Vous n'aimez pas Mlle Doncœur?

— Je n'aime pas les gens qui se mêlent de ce qui ne les regarde pas.

— C'est son cas?

— Nous avons recueilli l'enfant de mon beau-frère, vous le savez. Vous me croirez si vous voulez, je fais tout ce que je peux pour elle, je la traite comme je traiterais ma fille...

Une intuition encore, quelque chose de vague, d'inconsistant: Maigret avait beau regarder la femme qui lui faisait face et qui avait allumé une nouvelle cigarette, il ne parvenait pas à la voir en maman.

— Or, sous prétexte de m'aider, elle est sans cesse fourrée chez moi. Si je sors pour quelques minutes, je la trouve dans le corridor, la mine sucrée, qui me dit:

» — Vous n'allez pas laisser Colette toute seule, madame Martin? Laissez-moi donc aller lui tenir compagnie.

» Je me demande si, quand je ne suis pas là, elle ne s'amuse pas à fouiller mes tiroirs.

— Vous la supportez, cependant.

— Parce qu'il le faut bien. C'est Colette qui la réclame, surtout depuis qu'elle est au lit. Mon mari l'aime bien aussi parce que, lorsqu'il était encore célibataire, il a eu une pleurésie, et c'est elle qui est venue le soigner.

— Vous avez reporté la poupée que vous avez achetée pour le Noël de Colette?

Elle fronça les sourcils, regarda la porte de communication.

— Je vois que vous l'avez questionnée. Non, je ne l'ai pas reportée, pour la bonne raison qu'elle vient d'un grand magasin et que les grands magasins sont fermés aujourd'hui. Vous voulez la voir?

Elle disait cela avec défi et, contrairement à son attente, il la laissa faire, examina la boîte en carton sur laquelle le prix était resté, un prix très bas.

— Puis-je vous demander où vous êtes allée ce matin?

— Faire mon marché.

— Rue du Chemin-Vert? Rue Amelot?

— Rue du Chemin-Vert et rue Amelot.

— Sans indiscrétion, qu'avez-vous acheté?

Rageuse, elle pénétra dans la cuisine et saisit le sac à provisions qu'elle jeta presque sur la table de la salle à manger.

— Voyez vous-même.

Il y avait trois boîtes de sardines, du jambon, du beurre, des pommes de terre et une laitue.

Elle le regardait durement, fixement, mais sans trembler, avec plus de méchanceté que d'angoisse.

— Vous avez d'autres questions à me poser?

— Je voudrais savoir le nom de votre agent d'assurances?

Elle ne comprit pas tout de suite, c'était visible. Elle chercha dans sa mémoire.

— Mon agent...

— D'assurances, oui. Celui qui est venu vous voir.

— Pardon! J'avais oublié. C'est parce que vous avez parlé de *mon* agent, comme si j'étais réellement en affaires avec lui. C'est encore Colette qui vous a raconté ça. Il est venu quelqu'un, en effet, par deux fois, de ces gens qui frappent à toutes les portes et dont on a toutes les peines du monde à se débarrasser. J'ai cru d'abord qu'il vendait des aspirateurs électriques. Il s'agissait d'assurances sur la vie.

— Il est resté longtemps chez vous?

— Le temps pour moi de le mettre dehors, de lui faire comprendre que je n'avais aucune envie de signer une police sur ma tête ou sur celle de mon mari.

— Quelle compagnie représentait-il ?

— Il me l'a dit, mais je l'ai oublié. Un nom où il y a le mot « Mutuel »...

— Il est revenu à la charge ?

— C'est exact.

— A quelle heure Colette est-elle censée s'endormir ?

— J'éteins la lumière à sept heures et demie, mais il lui arrive de se raconter des histoires à mi-voix pendant un bon moment.

— La seconde fois, l'agent d'assurances est donc venu vous voir après sept heures et demie du soir ?

Elle avait déjà senti le piège.

— C'est possible. J'étais en effet en train de laver la vaisselle.

— Vous l'avez laissé entrer ?

— Il avait le pied dans l'entre-bâillement de la porte.

— Il s'est adressé à d'autres locataires de la maison ?

— Je n'en sais rien. Je suppose que vous allez vous renseigner. Parce qu'une petite fille a vu ou cru voir le Père Noël, il y a une demi-heure que vous me questionnez comme si j'avais commis un crime. Si mon mari était ici...

— Au fait, votre mari est-il assuré sur la vie ?

— Je crois. Certainement.

Et, comme il se dirigeait vers la porte, après avoir pris son chapeau posé sur une chaise, elle s'exclama, surprise :

— C'est tout ?

— C'est tout. Au cas où votre beau-frère viendrait vous voir, ainsi qu'il semble l'avoir promis à sa fille, je vous serais reconnaissant de me faire avertir ou de me l'envoyer. A présent, j'aimerais dire quelques mots à Mlle Doncœur.

Celle-ci le suivit dans le corridor, puis le dépassa

pour ouvrir la porte de son logement, qui sentait le couvent.

— Entrez, monsieur le commissaire. J'espère qu'il n'y a pas trop de désordre.

On ne voyait pas de chat, pas de petit chien, pas de napperons sur les meubles ni de bibelots sur la cheminée.

— Il y a longtemps que vous vivez dans la maison, mademoiselle Doncœur?

— Vingt-cinq ans, monsieur le commissaire. J'en suis une des plus anciennes locataires et je me souviens que, quand je me suis installée ici, vous habitiez déjà en face et que vous portiez de longues moustaches.

— Qui a occupé le logement voisin avant que Martin s'y installe?

— Un ingénieur des Ponts et Chaussées. Je ne me rappelle plus son nom, mais je pourrais le retrouver. Il vivait avec sa femme et sa fille, qui était sourde-muette. C'était bien triste. Ils ont quitté Paris pour s'installer à la campagne, dans le Poitou, si je ne me trompe. Le vieux monsieur doit être mort à l'heure qu'il est, car il avait déjà l'âge de la retraite.

— Vous est-il arrivé, ces derniers temps, d'être ennuyée par un agent d'assurances?

— Ces temps-ci, non. Le dernier qui a sonné à ma porte, c'était il y a au moins deux ans.

— Vous n'aimez pas Mme Martin?

— Pourquoi?

— Je vous demande si vous aimez ou n'aimez pas Mme Martin?

— C'est-à-dire que, si j'avais un fils...

— Continuez!

— Si j'avais un fils, je ne serais pas contente de l'avoir pour belle-fille. Surtout que M. Martin est tellement doux, tellement gentil!

— Vous croyez qu'il n'est pas heureux avec elle?

— Je ne dis pas ça. Je n'ai rien à lui reprocher en

particulier. Elle a son genre, n'est-ce pas, et c'est son
droit.

— Quel genre ?

— Je ne sais pas. Vous l'avez vue. Vous vous y
connaissez mieux que moi. Elle n'est pas tout à fait
comme une femme. Tenez! Je parierais qu'elle n'a
jamais pleuré de sa vie. Elle élève la petite convena-
blement, proprement, c'est vrai. Mais elle ne lui dira
jamais un mot tendre et, quand j'essaie de lui raconter
des contes de fées, je sens que ça l'impatiente. Je suis
sûre qu'elle lui a dit que le Père Noël n'existe pas.
Heureusement que Colette ne la croit pas.

— Elle ne l'aime pas non plus ?

— Elle lui obéit, s'efforce de lui faire plaisir. Je
pense qu'elle est aussi heureuse quand on la laisse
seule.

— Mme Martin sort beaucoup ?

— Pas beaucoup. On n'a pas de reproches à lui
faire. Je ne sais comment dire. On sent qu'elle mène
sa vie à elle, vous comprenez ? Elle ne s'occupe pas
des autres. Elle ne parle jamais d'elle-même non plus.
Elle est correcte, toujours correcte, trop correcte. Elle
aurait dû passer sa vie dans un bureau, à faire des
chiffres ou à surveiller les employés.

— C'est l'opinion des autres locataires ?

— Elle fait si peu partie de la maison! C'est tout
juste si elle dit vaguement bonjour aux gens quand
elle les croise dans l'escalier. En somme, si on la connaît un peu, c'est depuis Colette, parce qu'on s'intéresse toujours davantage à un enfant.

— Il vous est arrivé de rencontrer son beau-frère ?

— Dans le corridor. Je ne lui ai jamais parlé. Il
passe en baissant la tête, comme honteux, et, malgré
la peine qu'il doit prendre de brosser ses vêtements
avant de venir, on a toujours l'impression qu'il a
dormi tout habillé. Je ne crois pas que ce soit lui,
monsieur Maigret. Ce n'est pas l'homme à faire ça.
Ou alors il aurait fallu qu'il soit bien ivre.

Maigret s'arrêta encore chez la concierge, où il

faisait tellement sombre qu'il fallait garder la lampe
allumée toute la journée, et il était près de midi quand
il traversa le boulevard, tandis que tous les rideaux
bougeaient aux fenêtres de la maison qu'il quittait.
A sa fenêtre aussi, le rideau bougeait. C'était Mme Maigret, qui le guettait pour savoir si elle pouvait mettre
son poulet au feu. Il lui adressa, d'en bas, un petit
signe de la main, et faillit bien tirer la langue pour
attraper un de ces glaçons minuscules qui flottaient
dans l'air et dont il se rappelait encore le goût fade.

3

JE ME DEMANDE SI cette gamine-là est heureuse, soupira Mᵐᵉ Maigret en se levant de table pour aller chercher le café dans la cuisine.

Elle vit bien qu'il ne l'écoutait pas. Il avait repoussé sa chaise et bourrait sa pipe en regardant le poêle qui ronronnait doucement, avec des petites flammes régulières qui léchaient les micas.

Elle ajouta pour sa satisfaction personnelle :

— Je ne crois pas qu'elle puisse l'être avec cette femme-là.

Il lui sourit vaguement, comme quand il ne savait pas ce qu'elle avait dit, et se replongea dans la contemplation de la salamandre. Il y avait au moins dix poêles semblables dans la maison, avec le même ronron, dix salles à manger qui avaient la même odeur de dimanche, et sans doute en allait-il ainsi dans la maison d'en face. Chaque alvéole contenait sa vie paresseuse, en sourdine, avec du vin sur la table, des gâteaux, le carafon de liqueur qu'on allait prendre dans le buffet, et toutes les fenêtres laissaient entrer la lumière grise et dure d'un jour sans soleil.

C'était peut-être ce qui, à son insu, le déroutait depuis le matin. Neuf fois sur dix, une enquête, une vraie, le plongeait d'une heure à l'autre dans un milieu neuf, le mettait aux prises avec des gens d'un monde qu'il ne connaissait pas ou qu'il connaissait peu, et il avait tout à apprendre, jusqu'aux moindres habitudes et aux tics d'une classe sociale qui ne lui était pas familière.

Dans cette affaire, qui n'en était pas une, puisqu'il n'était officiellement chargé de rien, c'était tout différent. Pour la première fois, un événement se passait dans un monde proche du sien, dans une maison qui aurait pu être sa maison.

Les Martin auraient pu habiter sur son palier au lieu d'habiter en face, et c'est sans doute Mme Maigret qui serait allée garder Colette pendant les absences de sa tante. Il y avait, à l'étage au-dessus, une vieille demoiselle qui, en plus gras, en plus pâle, était presque le portrait de Mlle Doncœur. Les cadres des photographies du père et de la mère Martin étaient exactement les mêmes que ceux des parents de Maigret, et les agrandissements avaient probablement été faits par la même agence.

Était-ce cela qui le gênait ? Il lui semblait qu'il manquait de recul, qu'il ne voyait pas les gens et les choses avec un œil assez frais, assez neuf.

Il avait raconté ses démarches du matin à sa femme pendant le repas — un bon petit repas de fête qui le laissait alourdi — et elle n'avait cessé de regarder les fenêtres d'en face d'un air gêné.

— La concierge est sûre que personne n'a pu venir du dehors ?

— Elle n'en est plus si sûre. Elle a reçu des amis jusqu'à minuit et demi. Après, elle s'est couchée, et il y a eu quantité d'allées et venues, comme toutes les nuits de réveillon.

— Tu crois qu'il se passera encore quelque chose ?

C'est ce petit mot-là qui continuait à la tarabuster. Il y avait d'abord le fait que Mme Martin n'était pas venue le trouver spontanément, mais la main forcée par Mlle Doncœur.

Si elle s'était levée plus tôt, si elle avait été la première à découvrir la poupée et à entendre l'histoire du Père Noël, n'aurait-elle pas gardé le silence et ordonné à la fillette de se taire ?

Elle avait ensuite profité de la première occasion pour sortir, bien qu'il y eût suffisamment de provisions dans la maison pour la journée. Distraite, elle avait même acheté du beurre, alors qu'il en restait une livre dans le garde-manger.

Il se leva à son tour et alla s'asseoir dans son fauteuil, près de la fenêtre, décrocha le téléphone, appela le quai des Orfèvres.

— Lucas ?

— J'ai fait ce que vous m'avez demandé, patron, et j'ai la liste de tous les prisonniers qui ont été relaxés depuis quatre mois. Ils sont moins nombreux qu'on pourrait le penser. Je n'en vois aucun qui ait, à un moment quelconque, habité le boulevard Richard-Lenoir.

Cela n'avait plus d'importance. Maigret avait presque abandonné cette hypothèse-là. Ce n'était d'ailleurs qu'une idée en l'air. Quelqu'un, habitant l'appartement d'en face, aurait pu y cacher le produit d'un vol ou d'un crime avant de se faire prendre.

Remis en liberté, son premier soin aurait été tout naturellement de rentrer en possession du magot. Or, à cause de l'accident de Colette, qui la tenait immobilisée dans son lit, la chambre n'était vide à aucune heure du jour ou de la nuit.

Jouer le Père Noël pour s'y introduire à peu près sans danger n'aurait pas été si bête.

Mais, dans ce cas, Mme Martin n'aurait pas hésité à venir le trouver. Elle ne serait pas sortie ensuite sous un mauvais prétexte.

— Vous voulez que j'étudie chaque cas séparément ?

— Non. Tu as des nouvelles de Paul Martin ?

— Cela n'a pas été long. Il est connu dans quatre

ou cinq commissariats au moins, entre la Bastille,
l'Hôtel de Ville et le boulevard Saint-Michel.

— Tu sais ce qu'il a fait cette nuit?

— D'abord, il est allé manger à bord de la péniche
de l'Armée du Salut. Il s'y rend chaque semaine, à
son jour, comme les habitués, et, ces soirs-là, il est
sobre. On leur a servi un petit souper de gala. Il fallait
faire la queue assez longtemps.

— Ensuite?

— Vers onze heures du soir, il a gagné le quartier
Latin et a ouvert les portières devant une boîte de
nuit. Il a dû recueillir assez d'argent pour aller boire
car, à quatre heures du matin, on l'a ramassé, ivre
mort, à cent mètres de la place Maubert. On l'a
emmené au poste. Il y était toujours ce matin à onze
heures. Il venait d'en sortir quand j'ai obtenu le
renseignement et on m'a promis de me l'amener dès
qu'on mettra la main sur lui. Il lui restait quelques
francs en poche.

— Bergerac?

— Jean Martin prend le premier train de l'après-
midi. Il s'est montré fort surpris et fort inquiet du
coup de téléphone qu'il a reçu ce matin.

— Il n'en a reçu qu'un?

— Ce matin, oui. Mais on l'avait appelé hier soir,
au moment où il dînait à la table d'hôte.

— Tu sais qui l'a appelé?

— La caissière de l'hôtel, qui a pris la communication, affirme que c'est une voix d'homme. On a
demandé si M. Jean Martin était là. Elle a envoyé
une fille de salle le chercher et, quand il est arrivé,
il n'y avait plus personne au bout du fil. Cela lui a
gâché sa soirée. Ils étaient quelques-uns, tous voya-
geurs de commerce, qui avaient organisé une partie
dans je ne sais quelle boîte de la ville. On m'a laissé
entendre qu'il y avait de jolies filles avec eux. Martin,
après avoir bu quelques verres, pour faire comme les
autres, a, paraît-il, tout le temps parlé de sa femme et
de sa fille, car il parle de la gamine comme de sa fille.

Il n'en est pas moins resté dehors jusqu'à trois heures du matin avec ses amis. C'est tout ce que vous voulez savoir, patron?

Lucas ne put s'empêcher d'ajouter, intrigué :

— Il y a eu un crime dans votre quartier? Vous êtes toujours chez vous?

— Jusqu'à présent, ce n'est qu'une histoire de Père Noël et de poupée.

— Ah!

— Un moment. Je voudrais que tu essaies de te procurer l'adresse du directeur des montres Zénith, avenue de l'Opéra. Même un jour de fête, cela doit se trouver, et il y a des chances pour qu'il soit chez lui. Tu me rappelles?

— Dès que j'aurai le renseignement.

Sa femme venait de lui servir un verre de prunelle d'Alsace dont sa sœur lui envoyait de temps en temps une bouteille ; il lui sourit et fut un moment tenté de ne plus penser à cette histoire saugrenue, de proposer d'aller tout tranquillement passer l'après-midi au cinéma.

— De quelle couleur sont ses yeux?

Il dut faire un effort pour comprendre qu'il s'agissait de la petite fille, qu'elle seule, dans l'affaire, intéressait Mme Maigret.

— Ma foi, j'aurais de la peine à le dire. Ils ne sont sûrement pas bruns. Elle a les cheveux blonds.

— Alors, ils sont bleus.

— Peut-être. Très clairs, en tout cas. Et particulièrement calmes.

— Parce qu'elle ne regarde pas les choses comme une enfant. Est-ce qu'elle a ri?

— Elle n'a pas eu l'occasion de rire.

— Une vraie enfant trouve toujours l'occasion de rire. Il suffit qu'elle se sente en confiance, qu'on lui laisse des pensées de son âge. Je n'aime pas cette femme!

— Tu préfères Mlle Doncœur?

— Elle a beau être une vieille fille, je suis sûre

qu'elle sait mieux s'y prendre avec la petite que cette
Mme Martin. Je l'ai rencontrée dans les magasins. Elle
est de ces femmes qui surveillent les pesées et tirent
l'argent pièce à pièce du fond de leur porte-monnaie,
avec un regard soupçonneux, comme si tout le monde
essayait de les tromper.

La sonnerie du téléphone l'interrompit, mais elle
trouva le temps de répéter :

— Je n'aime pas cette femme.

C'était Lucas, qui donnait l'adresse de M. Arthur
Godefroy, représentant général en France des montres
Zénith. Il habitait une grosse villa à Saint-Cloud et
Lucas s'était assuré qu'il était chez lui.

— Paul Martin est ici, patron.

— On te l'a amené ?

— Oui. Il se demande pourquoi. Attendez que je
ferme la porte. Bon ! Maintenant, il ne peut plus m'entendre. Il a d'abord cru qu'il était arrivé quelque
chose à sa fille et il s'est mis à pleurer. Maintenant, il
est calme, résigné, avec une terrible gueule de bois.
Qu'est-ce que j'en fais ? Je vous l'envoie ?

— Tu as quelqu'un pour l'accompagner chez moi ?

— Torrence vient d'arriver et ne demandera pas
mieux que de prendre l'air, car je crois qu'il a réveillonné dur, lui aussi. Vous n'avez plus besoin de moi ?

— Si. Mets-toi en rapport avec le commissariat du
Palais-Royal. Voilà cinq ans environ, un certain
Lorilleux, qui tenait une boutique de bijouterie et de
vieilles monnaies, a disparu sans laisser de traces.
J'aimerais avoir tous les détails possibles sur cette
histoire.

Il sourit en voyant sa femme qui s'était mise à tri-
coter en face de lui. Cette enquête se déroulait décidément sous le signe le plus familial qui fût.

— Je vous rappelle ?

— Je ne compte pas bouger d'ici.

Cinq minutes plus tard, il tenait au bout du fil
M. Godefroy, qui avait un accent suisse très prononcé.
Quand on lui parla de Jean Martin, il crut d'abord,

pour qu'on le dérange un jour de Noël, qu'il était arrivé un accident à son voyageur, et il se répandit en chaleureux éloges à son sujet.

— C'est un garçon tellement dévoué et capable que je compte, l'an prochain, c'est-à-dire dans deux semaines, le garder avec moi à Paris en qualité de sous-directeur. Vous le connaissez ? Vous avez une raison grave pour vous occuper de lui ?

Il fit taire des enfants derrière lui.

— Excusez-moi. Toute la famille est réunie et...

— Dites-moi, monsieur Godefroy, avez-vous connaissance que quelqu'un, récemment, dans les derniers jours, se soit adressé à votre bureau pour s'informer de l'endroit où M. Martin se trouve actuellement ?

— Certainement.

— Voulez-vous me donner quelques précisions ?

— Hier matin, quelqu'un a appelé le bureau et a demandé à me parler personnellement. J'étais très occupé, à cause des fêtes. On a dû dire un nom, mais je l'ai oublié. On voulait savoir où on pouvait toucher Jean Martin pour une communication urgente et je n'ai vu aucune raison de ne pas répondre qu'il était à Bergerac, probablement à l'*Hôtel de Bordeaux*.

— On ne vous a rien demandé d'autre ?

— Non. On a raccroché tout de suite.

— Je vous remercie.

— Vous êtes sûr qu'il n'y a rien de mauvais dans cette histoire ?

Les enfants devaient s'agripper à lui et Maigret en profita pour prendre hâtivement congé.

— Tu as entendu ?

— J'ai entendu ce que tu as dit, bien sûr, mais pas ce qu'il a répondu.

— Hier matin, un homme a téléphoné au bureau pour savoir où était Jean Martin. Le même homme, sans doute, a téléphoné le soir à Bergerac pour s'assurer que celui-ci y était toujours, qu'il ne pourrait donc

pas se trouver boulevard Richard-Lenoir la nuit de
Noël.

— Et c'est cet homme-là qui est entré dans la maison ?

— Plus que probablement. Cela prouve, tout au
moins, qu'il ne s'agit pas de Paul Martin, qui n'aurait
pas eu besoin de ces deux coups de téléphone. Il pouvait, sans en avoir l'air, se renseigner auprès de sa
belle-sœur.

— Tu commences à t'exciter. Avoue que tu es
enchanté que cette histoire soit arrivée.

Et, comme il cherchait à s'excuser :

— C'est naturel, va ! Je m'y intéresse aussi. Pour
combien de temps crois-tu que la petite en a encore à
garder la jambe dans le plâtre ?

— Je n'ai pas posé la question.

— Je me demande quelle complication il a pu y
avoir.

Elle venait à nouveau, sans s'en douter, de lancer
l'esprit de Maigret sur une nouvelle voie.

— Ce n'est pas si bête, ce que tu as dit.

— Qu'est-ce que j'ai dit ?

— En somme, puisqu'elle est au lit depuis deux
mois, il y a des chances, à moins de complications
vraiment graves, pour qu'elle n'en ait plus pour longtemps.

— Il faudra probablement, au début, qu'elle marche
avec des béquilles.

— Ce n'est pas la question. Dans quelques jours
donc, ou dans quelques semaines au plus tard, la
petite sortira de sa chambre. Il lui arrivera de se pro-
mener avec Mme Martin. Le terrain sera libre et il sera
facile à n'importe qui de pénétrer dans l'appartement
sans se déguiser en Père Noël.

Les lèvres de Mme Maigret remuaient, parce que,
tout en écoutant et en regardant paisiblement son
mari, elle comptait ses points de tricot.

— Premièrement, c'est la présence de Colette dans
la chambre qui a obligé l'homme à recourir à un stra-

tagème. Or elle est au lit depuis deux mois. Il y a peut-être près de deux mois qu'il attend. Sans la complication qui a retardé la convalescence, les lames de parquet auraient pu être soulevées il y a environ trois semaines.

— Où veux-tu en venir ?

— A rien. Ou plutôt je me dis que l'homme ne pouvait plus attendre, qu'il avait des raisons impérieuses d'agir sans retard.

— Dans quelques jours, Martin sera de retour de sa tournée.

— C'est exact.

— Qu'est-ce qu'on a pu trouver sous le parquet ?

— A-t-on vraiment trouvé quelque chose ? Si le visiteur n'a rien trouvé, le problème, pour lui, reste aussi urgent qu'il l'était hier. Il agira donc à nouveau.

— Comment ?

— Je n'en sais rien.

— Dis donc, Maigret, tu n'as pas peur pour la petite ? Tu crois qu'elle est en sécurité avec cette femme-là ?

— Je le saurais si je savais où Mme Martin est allée ce matin sous prétexte de faire son marché.

Il avait décroché le téléphone, appelé la P. J. une fois de plus.

— C'est encore moi, Lucas. Je voudrais, cette fois, que tu t'occupes des taxis. J'aimerais savoir si, ce matin, entre neuf heures et dix heures du matin, un taxi a chargé une cliente dans les environs du boulevard Richard-Lenoir, et où il l'a conduite. Attends ! Oui. J'y pense. Elle est blonde, paraît un peu plus de la trentaine, plutôt mince, mais solide. Elle portait un tailleur gris et un petit chapeau beige. Elle avait un sac à provisions à la main. Il ne devait pas y avoir tant de voitures ce matin dans les rues.

— Martin est chez vous ?

— Pas encore.

— Il ne va pas tarder à arriver. Quant à l'autre, Lorilleux, les gens du quartier du Palais-Royal sont en

train de fouiller les archives. Vous aurez le renseignement dans un moment.

C'était l'heure où Jean Martin prenait son train, à
Bergerac. Sans doute la petite Colette faisait-elle la
sieste? On devinait la silhouette de Mlle Doncœur
derrière ses rideaux et probablement se demandait-
elle à quoi Maigret s'occupait.

Des gens commençaient à sortir des maisons, des
familles surtout avec des enfants qui traînaient leurs
jouets neufs sur les trottoirs. On faisait certainement
la queue à la porte des cinémas. Un taxi s'arrêtait.
Puis on entendait des pas dans l'escalier. Mme Maigret
allait ouvrir avant qu'on ait eu le temps de sonner. La
grosse voix de Torrence :

— Vous êtes là, patron?

Et il introduisait dans la pièce un homme sans âge
qui se tenait humblement contre le mur en baissant le
regard.

Maigret alla chercher deux verres dans le buffet, les
remplit de prunelle.

— A votre santé, dit-il.

Et la main tremblante de l'homme hésitait, il levait
des yeux étonnés, inquiets.

— A votre santé aussi, monsieur Martin. Je vous
demande pardon de vous avoir fait venir jusqu'ici,
mais vous serez plus près pour aller voir votre fille.

— Il ne lui est rien arrivé?

— Mais non. Je l'ai vue ce matin et elle jouait gentiment avec sa nouvelle poupée. Tu peux aller, Torrence. Lucas doit avoir du travail pour toi.

Mme Maigret s'était éclipsée en emportant son tricot et s'était installée dans la chambre, au bord du lit,
toujours à compter ses points.

— Asseyez-vous, monsieur Martin.

L'homme n'avait fait que tremper les lèvres dans
son verre et l'avait posé sur la table, mais de temps en
temps il y jetait un regard anxieux.

— Ne vous inquiétez surtout pas, et dites-vous que
je connais votre histoire.

— Je voulais aller la voir ce matin, soupira l'homme. Je m'étais juré de me coucher et de me lever de bonne heure pour venir lui souhaiter le Noël.

— Je sais cela aussi.

— Cela se passe toujours de la même façon. Je jure que je ne prendrai qu'un verre, juste de quoi me remonter...

— Vous n'avez qu'un frère, monsieur Martin ?

— Jean, oui, qui est de six ans mon cadet. Avec ma femme et ma fille, c'est tout ce que j'aimais au monde.

— Vous n'aimez pas votre belle-sœur ?

Il tressaillit, surpris, gêné.

— Je n'ai pas de mal à dire de Loraine.

— Vous lui avez confié votre enfant, n'est-ce pas ?

— C'est-à-dire que, quand ma femme est morte et que j'ai commencé à perdre pied...

— Je comprends. Votre fille est heureuse ?

— Je crois, oui. Elle ne se plaint jamais.

— Vous n'avez pas essayé de remonter le courant ?

— Chaque soir, je me promets d'en finir avec cette vie-là, et le lendemain ça recommence. Je suis même allé voir un docteur et il m'a donné des conseils.

— Vous les avez suivis ?

— Pendant quelques jours. Lorsque je suis allé le retrouver, il était très pressé. Il m'a dit qu'il n'avait pas le temps de s'occuper de moi, que je ferais mieux d'entrer dans une clinique spécialisée...

Il tendit la main vers son verre, hésita, et, pour lui permettre de boire, Maigret avala une rasade.

— Il ne vous est jamais arrivé de rencontrer d'homme chez votre belle-sœur ?

— Non. Je ne pense pas qu'il y ait rien à lui reprocher de ce côté-là.

— Vous savez où votre frère l'a rencontrée ?

— Dans un petit restaurant de la rue de Beaujolais où il prenait ses repas quand il était à Paris entre

deux tournées. C'était tout près de son bureau et
près du magasin où Loraine travaillait.

— Ils ont été longtemps fiancés ?

— Je ne sais pas au juste. Jean est parti pour
deux mois et, quand il est revenu, m'a annoncé qu'il
se mariait.

— Vous avez été le témoin de votre frère ?

— Oui. Quant à Loraine, c'est la patronne du
meublé où elle vivait alors qui lui a servi de témoin.
Elle n'a aucune famille à Paris. Elle était déjà orpheline à cette époque. Il y a quelque chose de mal... ?

— Je ne sais pas encore. Un homme s'est introduit, cette nuit, sous un déguisement de Père Noël,
dans la chambre de Colette.

— Il ne lui a rien fait ?

— Il lui a donné une poupée. Quand elle a ouvert
les yeux, il était en train de soulever deux lames du
parquet.

— Vous croyez que je suis assez convenable pour
aller la voir ?

— Vous irez dans un moment. Si le cœur vous
en dit, vous pouvez vous raser ici, vous donner un
coup de brosse. Est-ce que votre frère est homme à
cacher quoi que ce soit sous un plancher ?

— Lui ? Jamais de la vie.

— Même s'il avait quelque chose à cacher à sa
femme ?

— Il ne lui cache rien. Vous ne le connaissez pas.
Quand il revient, il lui rend des comptes comme à un
patron et elle sait exactement combien il a d'argent
de poche.

— Elle est jalouse ?

L'homme ne répondit pas.

— Vous feriez mieux de me dire ce que vous
pensez. Voyez-vous, il s'agit de votre fille.

— Je ne crois pas que Loraine soit tellement
jalouse, mais elle est intéressée. Du moins, ma femme
le prétendait-elle. Ma femme ne l'aimait pas.

— Pourquoi ?

— Elle disait qu'elle avait les lèvres trop minces, qu'elle était trop froide, trop polie, qu'elle se tenait toujours sur la défensive. D'après elle, elle s'est jetée à la tête de Jean à cause de sa situation, de ses meubles, de son avenir.

— Elle était pauvre?

— Elle ne parle jamais de sa famille. Nous avons su néanmoins que son père était mort quand elle était très jeune et que sa mère faisait des ménages.

— A Paris?

— Quelque part dans le quartier de la Glacière. C'est pourquoi elle ne parle jamais de ce quartier-là. Comme disait ma femme, c'est une personne qui sait ce qu'elle veut.

— Était-elle, selon vous, la maîtresse de son ancien patron?

Maigret lui servait un doigt d'alcool et l'homme le regardait avec reconnaissance, hésitait pourtant, sans doute à cause de sa visite à sa fille et de son haleine.

— Je vais vous faire préparer une tasse de café. Votre femme devait avoir son idée là-dessus aussi, n'est-ce pas?

— Comment le savez-vous? Remarquez qu'elle ne disait jamais de mal des gens. Mais, pour Loraine, c'était presque une question physique. Quand nous devions rencontrer ma belle-sœur, je suppliais ma femme de ne pas laisser voir sa méfiance ou son antipathie. C'est drôle que je vous parle de tout ça, au point où j'en suis. Peut-être ai-je fait mal de lui laisser Colette? Je me le reproche parfois. Mais qu'est-ce que je pourrais faire d'autre?

— Vous ne m'avez pas répondu au sujet de l'ancien patron de Loraine.

— Oui. Ma femme prétendait qu'ils avaient l'air d'un faux ménage et que c'était pratique pour Loraine d'épouser un homme qui était la plupart du temps en voyage.

— Vous savez où elle habitait avant son mariage?

— Une rue qui donne sur le boulevard Sébastopol,
la première à droite quand on va de la rue de Rivoli
vers les boulevards. Je m'en souviens parce que c'est
là que nous sommes allés la chercher en voiture le
jour des noces.

— Rue Pernelle?

— C'est cela. La quatrième ou cinquième maison
à gauche est un hôtel meublé qui paraît tranquille,
convenable, et où habitent surtout des gens qui travaillent dans le quartier. Je me rappelle qu'il y avait
entre autres des petites actrices du Châtelet.

— Vous voulez vous raser, monsieur Martin?

— J'ai honte. Et pourtant, maintenant que je
suis en face de chez ma fille...

— Venez avec moi.

Il le fit passer par la cuisine pour éviter la chambre
où se tenait Mme Maigret, lui donna tout ce dont
il avait besoin, y compris une brosse à habit.

Quand il rentra dans la salle à manger, Mme Maigret entrouvrit la porte, chuchota :

— Qu'est-ce qu'il fait?

— Il se rase.

Une fois de plus, il décrocha le téléphone. Toujours
le brave Lucas, à qui il donnait du travail pour sa
journée de Noël.

— Tu es indispensable au bureau?

— Pas si Torrence reste ici. J'ai les renseignements
que vous m'avez demandés.

— Dans un instant. Tu vas filer rue Pernelle, où
tu trouveras un petit hôtel meublé qui doit encore
exister. Il me semble que j'ai déjà vu ça, dans les
premières maisons vers le boulevard Sébastopol. Je
ne sais pas si les propriétaires ont changé depuis cinq
ans. Peut-être dénicheras-tu quelqu'un qui y travaillait à cette époque. Je voudrais avoir tous les renseignements possibles sur une certaine Loraine...

— Loraine quoi?

— Un instant. Je n'y avais pas pensé.

A travers la porte de la salle de bains, il alla demander à Martin le nom de jeune fille de sa belle-sœur.

— Boitel! lui cria-t-il.

— Lucas? Il s'agit de Loraine Boitel. La patronne du meublé a été témoin à son mariage avec Martin. Loraine Boitel travaillait à cette époque pour Lorilleux.

— Celui du Palais-Royal?

— Oui. Je me demande s'ils avaient d'autres relations et s'il venait parfois la voir à l'hôtel. C'est tout. Fais vite. C'est peut-être plus urgent que nous ne pensons. Qu'est-ce que tu avais à me dire?

— L'affaire Lorilleux. C'était un drôle de type. On a fait une enquête, lors de sa disparition. Rue Mazarine, où il habitait avec sa famille, il passait pour un commerçant paisible qui élevait parfaitement ses trois enfants. Au Palais-Royal, dans sa boutique, il se passait des choses curieuses. Il ne vendait pas seulement des souvenirs de Paris et des monnaies anciennes, mais des livres et des gravures obscènes.

— C'est une spécialité de l'endroit.

— Oui. On n'est même pas trop sûr qu'il ne se passait rien d'autre. Il a été question d'un large divan recouvert de reps rouge qui se trouvait dans le bureau du fond. Faute de preuves, on n'a pas insisté, d'autant plus qu'on ne tenait pas à embêter la clientèle, composée en grande partie de gens plus ou moins importants.

— Loraine Boitel?

— On n'en parle guère dans le rapport. Elle était déjà mariée au moment de la disparition de Lorilleux. Elle a attendu toute la matinée à la porte du magasin. Il ne semble pas qu'elle l'ait vu la veille au soir après la fermeture. J'étais en train de téléphoner à ce sujet quand Langlois, de la brigade financière, est entré dans mon bureau. Il a tressailli au nom de Lorilleux, m'a dit que cela lui rappelait quelque chose et est allé jeter un coup d'œil dans ses dossiers. Vous m'écoutez? Ce n'est rien de précis. Seulement le fait que Lorilleux avait été signalé, vers cette époque, comme

franchissant fréquemment la frontière suisse. Or c'était
au moment où le trafic de l'or battait son plein. On
l'a tenu à l'œil. Il a été fouillé deux ou trois fois à la
frontière, mais sans qu'on puisse rien découvrir.

— File rue Pernelle, mon vieux Lucas. Je crois
plus que jamais que c'est urgent.

Paul Martin, les joues blanches, rasées de près, se
tenait dans l'encadrement de la porte.

— Je suis confus. Je ne sais comment vous remer-
cier.

— Vous allez rendre visite à votre fille, n'est-ce
pas ? Je ne sais pas combien de temps vous restez
d'habitude auprès d'elle, ni comment vous allez vous
y prendre. Ce que je désirerais, c'est que vous ne la
quittiez pas jusqu'à ce que j'aille vous retrouver.

— Je ne peux pourtant pas y passer la nuit ?

— Passez-y la nuit s'il le faut. Arrangez-vous.

— Il y a du danger ?

— Je n'en sais rien, mais votre place est près de
Colette.

L'homme but sa tasse de café noir avec avidité
et se dirigea vers l'escalier. La porte était refermée
quand Mme Maigret pénétra dans la salle à manger.

— Il ne peut pas aller voir sa fille les mains vides
un jour de Noël.

— Mais...

Maigret était sur le point de répondre, sans doute,
qu'il n'y avait pas de poupée dans la maison, quand
elle lui tendit un petit objet brillant, un dé en or,
qu'elle avait depuis des années dans sa boîte à couture et qui ne lui servait pas.

— Donne-lui ça. Cela fait toujours plaisir à une
petite fille. Dépêche-toi...

Il cria, du haut de l'escalier :

— Monsieur Martin !... Monsieur Martin !... Un instant, s'il vous plaît !

Il lui poussa le dé dans la main.

— Surtout, ne lui dites pas d'où il vient.

Sur le seuil de la salle à manger, il resta debout, bougon, puis poussa un soupir.

— Quand tu auras fini de me faire jouer les Père Noël!

— Je parie que cela lui plaira autant que la poupée. Parce que c'est un objet de grande personne, tu comprends?

On vit l'homme traverser le boulevard, s'arrêter un moment devant la maison, se tourner vers les fenêtres de Maigret comme pour un encouragement.

— Tu crois qu'il guérira?

— J'en doute.

— S'il arrivait quelque chose à cette femme, à Mᵐᵉ Martin...

— Eh bien?

— Rien. Je pense à la petite. Je me demande ce qu'elle deviendrait.

Dix minutes s'écoulèrent pour le moins, Maigret avait déployé un journal. Sa femme avait repris sa place en face de lui et tricotait en comptant ses points quand il murmura en lâchant une bouffée de fumée :

— Tu ne l'as même jamais vue!

4

PLUS TARD, DANS LE
tiroir 'où Mme Maigret fourrait les moindres papiers
qui traînaient, Maigret devait retrouver une vieille
enveloppe au dos de laquelle, machinalement, au cours
de cette journée, il avait résumé les événements. Ce
n'est qu'alors que quelque chose le frappa dans cette
enquête menée presque de bout en bout de son logement et qu'il devait souvent, par la suite, citer en
exemple.

Contrairement à ce qui se passe si souvent, il n'y eut
aucun hasard à proprement parler, aucun véritable
coup de théâtre. Cette sorte de chance-là ne joua pas,
mais la chance n'en intervint pas moins, et même de
façon constante, en ce sens que chaque renseignement
vint à son heure, par les moyens les plus simples, les
plus naturels.

Il arrive que des douzaines d'inspecteurs travaillent
jour et nuit pour recueillir une information de second
ordre. Par exemple, M. Arthur Godefroy, le représentant des montres Zénith en France, aurait fort bien
pu aller passer les fêtes de Noël dans sa ville natale,
Zurich. Il aurait pu simplement ne pas être chez lui.

Ou encore il aurait été fort possible qu'il n'eût pas
connaissance du coup de téléphone donné la veille à
son bureau au sujet de Jean Martin.

Quand Lucas arriva, un peu après quatre heures,
la peau tendue et le nez rouge, la même chose avait
joué en sa faveur.

Un brouillard épais, jaunâtre, venait de tomber
tout à coup sur Paris, ce qui est assez rare, et dans
toutes les maisons les lampes étaient allumées ; les
fenêtres, d'un côté à l'autre du boulevard, avaient l'air
de fanaux lointains ; les détails de la vie réelle étaient
effacés à tel point qu'on s'attendait, comme au bord
de la mer, à entendre mugir la sirène de brume.

Pour une raison ou pour une autre — probablement
à cause d'un souvenir d'enfance — cela faisait plaisir
à Maigret, comme cela lui faisait plaisir de voir Lucas
entrer chez lui, retirer son pardessus, s'asseoir et
tendre au feu ses mains glacées.

Lucas était presque sa réplique, avec une tête en
moins, des épaules moitié moins larges et un visage
qu'il avait peine à rendre sévère. Sans forfanterie,
peut-être sans s'en rendre compte, par mimétisme, par
admiration, il en était arrivé à copier son patron dans
ses moindres gestes, dans ses attitudes, dans ses expres-
sions, et cela frappait davantage ici qu'au bureau.
Même sa façon de humer le verre de prunelle avant d'y
tremper les lèvres...

La tenancière du meublé de la rue Pernelle était
morte deux ans plus tôt, dans un accident de métro,
ce qui aurait pu compliquer l'enquête. Le personnel de
ces sortes d'établissements change souvent et il y
avait peu d'espoir de trouver dans la maison quelqu'un
ayant connu Loraine cinq ans plus tôt.

La chance était avec eux. Lucas avait trouvé,
comme tenancier actuel, l'ancien gardien de nuit,
et le hasard voulait qu'il ait eu des démêlés, jadis,
avec la police, pour des histoires de mœurs.

— Cela devenait facile de le faire parler, disait
Lucas en allumant une pipe trop grosse pour lui.

J'ai été surpris qu'il ait eu les moyens de racheter
le fonds d'un jour à l'autre, mais il a fini par m'expliquer qu'il servait d'homme de paille pour un homme
en vue qui place son argent dans ces sortes d'affaires,
mais ne tient pas y être en nom.

— Quel genre de boîte ?

— Correcte en apparence. Assez propre. Un bureau
à l'entresol. Des chambres louées au mois, quelques-
unes à la semaine. Et aussi, au premier, des chambres
qu'on loue à l'heure.

— Il se souvient de la jeune femme ?

— Fort bien, car elle a vécu plus de trois ans dans
la maison. J'ai fini par comprendre qu'il ne l'aimait
pas parce qu'elle était terriblement radin.

— Elle recevait Lorilleux ?

— Avant de me rendre rue Pernelle, je suis passé au
commissariat du Palais-Royal pour y prendre une
photographie de lui qui figurait au dossier. Je l'ai
montrée au tenancier. Il l'a tout de suite reconnu.

— Lorilleux allait souvent la voir ?

— En moyenne deux ou trois fois par mois, toujours
avec des bagages. Il arrivait vers une heure et demie
du matin et repartait à six heures. Je me suis d'abord
demandé ce que cela pouvait signifier. J'ai vérifié
l'indicateur des chemins de fer. Cela coïncidait avec
les voyages qu'il faisait en Suisse. Il prenait, pour
revenir, le train qui arrive au milieu de la nuit et laissait
croire à sa femme qu'il avait pris celui de six heures du
matin.

— Rien d'autre ?

— Rien, sinon que la Loraine était chiche de
pourboires et que, malgré l'interdiction, elle cuisinait
le soir dans sa chambre sur un réchaud à alcool.

— Pas d'autres hommes ?

— Non. A part Lorilleux, une vie régulière. Quand
elle s'est mariée, elle a demandé à la patronne d'être
son témoin.

Maigret avait dû insister pour obliger sa femme

à rester dans la pièce où elle ne faisait aucun bruit, où elle avait l'air de vouloir se faire oublier.

Torrence était dehors, dans le brouillard, à courir les dépôts de taxis. Les deux hommes attendaient sans fièvre, chacun au creux d'un fauteuil, dans des poses identiques, un verre d'alcool à portée de la main, et Maigret commençait à s'engourdir.

Or il en fut pour les taxis comme il en avait été pour le reste. Parfois, on tombe tout de suite sur le taxi que l'on cherche ; d'autres fois on est plusieurs jours sans aucune indication, surtout quand il ne s'agit pas d'une voiture appartenant à une compagnie. Certains chauffeurs n'ont pas d'heures régulières, maraudent au petit bonheur, et il n'est pas fatal qu'ils lisent dans le journal les avis de la police.

Or, avant cinq heures, Torrence téléphonait de Saint-Ouen.

— J'ai trouvé un des taxis, annonça-t-il.

— Pourquoi *un* ? Il y en a eu plusieurs ?

— J'ai tout lieu de le supposer. Il a chargé la jeune dame ce matin au coin du boulevard Richard-Lenoir et du boulevard Voltaire et l'a conduite rue de Maubeuge, à hauteur de la gare du Nord. Elle ne l'a pas gardé.

— Elle est entrée dans la gare ?

— Non. Elle s'est arrêtée devant une maison d'articles de voyage qui reste ouverte dimanches et fêtes, et le chauffeur ne s'en est plus occupé.

— Où est-il maintenant ?

— Ici. Il vient de rentrer.   .

— Veux-tu me l'envoyer ? Qu'il prenne sa voiture ou qu'il en prenne une autre, mais qu'il vienne le plus tôt possible. Quant à toi, il te reste à trouver le chauffeur qui l'a ramenée.

— Compris, patron. Le temps d'avaler un café arrosé, car il fait bougrement froid.

Maigret jeta un coup d'œil de l'autre côté de la rue et aperçut une ombre à la fenêtre de Mlle Doncœur.

— Essaye de me trouver, dans l'annuaire des

téléphones, un marchand d'articles de voyage, en face de la gare du Nord.

Lucas n'en eut que pour quelques instants et Maigret téléphona.

— Allô! Ici, Police Judiciaire. Vous avez eu une cliente, ce matin, un peu avant dix heures, qui a dû vous acheter quelque chose, probablement une valise ; une jeune femme blonde, en tailleur gris, tenant un sac à provisions à la main. Vous vous en souvenez ?

Peut-être le fait que cela se passait un jour de Noël rendait-il les choses faciles ? La circulation était moins active, le commerce à peine existant. En outre, les gens ont tendance à se souvenir avec plus de netteté des événements qui se déroulent un jour différent des autres.

— C'est moi-même qui l'ai servie. Elle m'a expliqué qu'elle devait partir précipitamment pour Cambrai, pour aller voir sa sœur malade, et qu'elle n'avait pas le temps de passer chez elle. Elle voulait une valise bon marché, en fibre, comme nous en avons des piles des deux côtés de la porte. Elle a choisi le modèle moyen, a payé et est entrée dans le bar d'à côté. Je me trouvais sur mon seuil, un peu plus tard, quand je l'ai vue se diriger vers la gare, la valise à la main.

— Vous êtes seul dans votre magasin ?

— J'ai un commis avec moi.

— Pouvez-vous vous absenter pendant une demi-heure ? Sautez donc dans un taxi et venez me voir à l'adresse que voici.

Je suppose que vous paierez la course ? Je dois garder le taxi ?

— Gardez-le, oui.

D'après les notes sur l'enveloppe, c'est à cinq heures cinquante que le chauffeur du premier taxi arriva, un peu surpris, alors qu'il s'agissait de la police, d'être reçu dans une maison particulière. Mais il reconnut Maigret et regarda curieusement autour de lui, inté-ressé visiblement par le cadre dans lequel vivait le fameux commissaire.

— Vous allez vous rendre dans la maison qui est juste en face et vous monterez au troisième. Si la concierge vous arrête au passage, dites que vous allez voir Mme Martin.

— Mme Martin, compris.

— Vous sonnerez à la porte qui est au fond du couloir. Si c'est une dame blonde qui vous ouvre et si vous la reconnaissez, vous inventerez un prétexte quelconque. Dites-lui que vous vous êtes trompé d'étage, ou n'importe quoi. Si c'est une autre personne, demandez à parler personnellement à Mme Martin.

— Ensuite?

— Rien. Vous revenez ici et vous me confirmez que c'est bien la personne que vous avez conduite ce matin rue de Maubeuge.

— Entendu, commissaire.

Quand la porte se referma, Maigret avait malgré lui un petit sourire aux lèvres.

— Au premier, elle commencera à s'inquiéter. Au second, si tout va bien, elle sera prise de panique. Au troisième, pour autant que Torrence mette la main sur lui...

Allons! Il n'y avait pas le moindre grain de sable dans l'engrenage. Torrence appelait :

— Je crois que j'ai trouvé, patron. J'ai déniché un chauffeur qui a chargé une jeune personne répondant à la description à la gare du Nord, mais il ne l'a pas reconduite boulevard Richard-Lenoir. Elle s'est fait déposer au coin du boulevard Beaumarchais et de la rue du Chemin-Vert.

— Expédie-le-moi.

— C'est qu'il a quelques petits verres dans le nez.

— Aucune importance. Où es-tu?

— Au dépôt Barbès.

— Cela ne te fera pas un trop grand détour de passer par la gare du Nord. Tu te présenteras à la consigne. Malheureusement, ce ne sera plus le même employé que ce matin. Vois s'il y a en dépôt une petite valise neuve, en fibre, qui ne doit pas être lourde, et qui a été déposée entre neuf heures et demie et dix heures du matin. Note le numéro. On ne te la laissera pas emporter sans mandat. Mais demande le nom et l'adresse de l'employé qui était de service ce matin.

— Qu'est-ce que je fais ensuite ?

— Tu me téléphones. J'attends ton second chauffeur. S'il a bu, écris-lui mon adresse sur un bout de papier afin qu'il ne se perde pas en route.

Mme Maigret avait gagné sa cuisine, où elle était en train de préparer le dîner, sans avoir osé demander si Lucas mangerait avec eux.

Est-ce que Paul Martin était toujours en face avec sa fille ? Est-ce que Mme Martin avait essayé de se débarrasser de lui ?

Quand on sonna à la porte, il n'y avait pas un homme, mais deux, sur le palier, qui ne se connaissaient pas et qui se regardaient avec étonnement.

Le premier chauffeur, revenant déjà de la maison d'en face, s'était trouvé dans l'escalier de Maigret avec le marchand de valises.

— Vous l'avez reconnue ?

— Non seulement je l'ai reconnue, mais elle m'a reconnu, elle aussi. Elle est devenue pâle. Elle a couru fermer une porte qui donne sur une chambre et m'a demandé ce que je lui voulais.

— Qu'est-ce que vous avez répondu ?

— Que je m'étais trompé d'étage. J'ai compris qu'elle hésitait à m'acheter et j'ai préféré ne pas lui en laisser le temps. D'en bas, je l'ai aperçue à sa fenêtre. Elle sait probablement que je suis entré ici.

Le marchand d'articles de voyage n'y comprenait rien. C'était un homme d'un certain âge, complètement chauve, aux manières mielleuses. Le chauffeur parti, Maigret lui expliqua ce qu'il avait à faire et il émit des objections, répétant avec obstination :

— C'est une cliente, vous comprenez ? Il est très délicat de trahir une cliente.

Il finit par se décider, mais, par précaution, Maigret

envoya Lucas sur ses talons, car il aurait pu changer
d'avis en route.

Moins de dix minutes plus tard, ils étaient de retour.

— Je vous ferai remarquer que je n'ai agi que sur
vos ordres, contraint et forcé.

— Vous l'avez reconnue ?

— Est-ce que je serai appelé à témoigner sous
serment ?

— C'est plus que probable.

— Cela fera du tort à mon commerce. Les gens
qui achètent des bagages au dernier moment sont
parfois des gens qui préfèrent qu'on ne parle pas de
leurs allées et venues.

— Peut-être se contentera-t-on, le cas échéant,
de votre déposition devant le juge d'instruction.

— Eh ! c'est bien elle. Elle n'est plus habillée de
la même façon, mais je l'ai reconnue.

— Elle vous a reconnu aussi ?

— Elle m'a tout de suite demandé qui m'envoyait.

— Qu'avez-vous répondu ?

— Je ne sais plus. J'étais très gêné. Que je m'étais
trompé de porte...

— Elle ne vous a rien offert ?

— Que voulez-vous dire ? Elle ne m'a même pas
proposé de m'asseoir. Cela aurait été encore plus
désagréable.

Alors que le chauffeur n'avait rien demandé, celui-ci,
qui était probablement prospère, insista pour recevoir
une compensation pour le temps qu'il avait perdu.

— Reste à attendre le troisième, mon vieux Lucas.

Mme Maigret, elle, commençait à s'énerver. Elle
adressa à son mari, du seuil, des signes qu'elle voulait
discrets pour lui demander de la suivre dans la cuisine
et là elle chuchota :

— Tu es sûr que le père est toujours en face ?

— Pourquoi ?

— Je ne sais pas. Je ne comprends pas exactement
ce que tu mijotes. Je pense à la petite et j'ai un peu
peur...

Il y avait longtemps que la nuit était tombée. Des familles étaient rentrées chez elles. Peu de fenêtres restaient obscures dans la maison d'en face et on distinguait toujours l'ombre de Mlle Doncœur à la sienne.

Maigret, qui était encore sans col ni cravate, acheva de s'habiller, en attendant le second chauffeur. Il cria à Lucas :

— Sers-toi. Tu n'as pas faim ?

— Je suis bourré de sandwiches, patron. Je n'ai qu'une envie, quand nous sortirons : un verre de bière tirée au tonneau.

Le second chauffeur arriva à six heures vingt. A six heures trente-cinq, il revenait, l'œil égrillard, de l'autre maison.

— Elle est encore mieux en négligé qu'en tailleur, dit-il d'une voix pâteuse. Elle m'a forcé à entrer et m'a demandé qui m'envoyait. Comme je ne savais que lui répondre, je lui ai dit que c'était le directeur des Folies Bergère. Elle a été furieuse. C'est un beau morceau de femme quand même. Je ne sais pas si vous avez vu ses jambes...

Il fut difficile de s'en débarrasser et on n'y arriva qu'après lui avoir servi un verre de prunelle, car il lorgnait la bouteille avec une évidente convoitise.

— Qu'est-ce que vous comptez faire, patron ?

Rarement Lucas avait vu Maigret prendre autant de précautions, préparer son coup avec autant de soin, comme s'il s'attaquait à très forte partie. Or il ne s'agissait que d'une femme, d'une petite bourgeoise en apparence insignifiante.

— Vous croyez qu'elle se défendra encore ?

— Férocement. Et, qui plus est, froidement.

— Qu'est-ce que vous attendez ?

— Le coup de téléphone de Torrence.

On le reçut à son heure. C'était comme une partition bien minutée.

— La valise est ici. Elle doit être à peu près vide. Comme prévu, ils ne veulent pas me la donner sans mandat. Quant à l'employé qui était de garde ce matin, il habite la banlieue, du côté de La Varenne-Saint-Hilaire.

On aurait pu penser que, cette fois, il y avait une anicroche, un retard, en tout cas. Or Torrence continuait :

— Seulement, ce n'est pas la peine d'aller là-bas. Après sa journée, en effet, il joue du piston dans un bal musette de la rue de Lappe.

— Va me le chercher.

— Je l'amène chez vous ?

Peut-être, après tout, Maigret avait-il envie d'un verre de bière fraîche, lui aussi.

— Non, dans la maison d'en face, au troisième étage, chez Mme Martin. J'y serai.

Cette fois, il alla décrocher son gros pardessus, bourra une pipe, dit à Lucas :

— Tu viens ?

Mme Maigret courut après lui pour lui demander à quelle heure il rentrerait dîner et il hésita, finit par sourire.

— Comme d'habitude ! répondit-il, ce qui n'était pas rassurant.

— Veille bien sur la petite.

5

A DIX HEURES DU SOIR, ils n'avaient encore obtenu aucun résultat tangible. Personne ne devait dormir dans la maison, sauf Colette, qui avait fini par s'assoupir et au chevet de laquelle son père continuait à veiller dans l'obscurité.

À sept heures et demie, Torrence était arrivé en compagnie de l'employé de la consigne, musicien à ses moments perdus, et l'homme, sans hésiter plus que les autres, avait déclaré :

— C'est bien elle. Je la vois encore glisser le reçu, non pas dans un sac à main, mais dans son sac à provisions, en grosse toile brune.

On alla lui chercher le sac dans la cuisine.

— C'est bien le même. En tout cas, c'est le même modèle et la même couleur.

Il faisait très chaud dans l'appartement. On parlait à mi-voix, comme si on s'était donné le mot, à cause de la petite qui dormait à côté. Personne n'avait mangé, n'avait pensé à le faire. Avant de monter, Maigret et Lucas étaient allés boire chacun deux demis dans un petit café du boulevard Voltaire.

Quant à Torrence, après la visite du musicien,

Maigret l'avait entraîné dans le corridor et lui avait donné à voix basse ses instructions.

Il semblait qu'il n'existât plus un seul coin ou recoin de l'appartement qui n'eût été fouillé. Même les cadres des parents de Martin avaient été décrochés, pour s'assurer que le reçu de la consigne n'avait pas été glissé sous le carton. La vaisselle, tirée de l'armoire, s'empilait sur la table de la cuisine et il n'y avait pas jusqu'au garde-manger qui n'eût été vidé.

Mme Martin était toujours en peignoir bleu pâle, comme les deux hommes l'avaient trouvée. Elle fumait cigarette sur cigarette et, avec la fumée des pipes, cela formait un épais nuage qui s'étirait autour des lampes.

— Libre à vous de ne rien dire, de ne répondre à aucune question. Votre mari arrivera à onze heures dix-sept et peut-être serez-vous plus loquace en sa présence.

— Il ne sait rien de plus que moi.

— En sait-il autant que vous?

— Il n'y a rien à savoir. Je vous ai tout dit.

Or elle s'était contentée de nier sur toute la ligne. Sur un seul point, elle avait cédé. Quand on lui avait parlé du meublé de la rue Pernelle, elle avait admis que son ancien patron lui avait rendu visite deux ou trois fois, par hasard, au cours de la nuit. Elle n'en soutenait pas moins qu'il n'y avait jamais eu de rapports intimes entre eux.

— Autrement dit, c'étaient des visites d'affaires, à une heure du matin?

— Il débarquait du train et avait souvent de grosses sommes avec lui. Je vous ai déjà dit qu'il lui arrivait de se livrer au trafic de l'or. Je n'y suis pour rien. Vous ne pouvez pas me poursuivre de ce fait.

— Avait-il une grosse somme en sa possession quand il a disparu?

— Je l'ignore. Il ne me mettait pas toujours au courant de ces sortes d'affaires.

— Pourtant, il allait vous en parler la nuit dans votre chambre ?

Pour ses allées et venues de la matinée, elle niait encore, contre toute évidence, prétendait ne jamais avoir vu les personnages qu'on lui avait envoyés, les deux chauffeurs, le marchand de valises et l'employé de la consigne.

— Si je suis vraiment allée déposer un colis à la gare du Nord, vous devez retrouver le reçu.

Il était à peu près certain qu'on ne le trouverait pas dans la maison, pas même dans la chambre de Colette que Maigret avait fouillée avant que la gamine s'endormît. Il avait même pensé au plâtre qui emprisonnait la jambe de l'enfant, mais qui n'avait pas été refait récemment.

— Demain, annonçait-elle durement, je déposerai une plainte. Il s'agit d'un coup monté de toutes pièces par la méchanceté d'une voisine. J'avais raison de m'en méfier, ce matin, quand elle a voulu à toutes forces m'entraîner chez vous.

Elle jetait souvent un regard anxieux au réveille-matin sur la cheminée et pensait évidemment au retour de son mari, mais, malgré son impatience, aucune question ne la prenait en défaut.

— Avouez que l'homme qui est venu la nuit dernière n'a rien trouvé sous le plancher parce que vous aviez changé de cachette.

— Je ne sais même pas s'il y a jamais eu quelque chose sous le plancher.

— Quand vous avez appris qu'il était venu, qu'il était décidé à rentrer en possession de ce que vous cachez, vous avez pensé à la consigne, où votre trésor serait en sûreté.

— Je ne suis pas allée à la gare du Nord et il existe des milliers de femmes blondes, à Paris, qui répondent à ma description.

— Qu'avez-vous fait du reçu ? Il n'est pas ici. Je suis persuadé qu'il n'est pas caché dans l'appartement, mais je crois savoir où nous le retrouverons.

— Vous êtes très malin.

— Asseyez-vous devant cette table.

Il lui tendit une feuille de papier, un stylo.

— Écrivez !

— Que voulez-vous que j'écrive ?

— Votre nom et votre adresse.

Elle le fit, non sans avoir hésité.

— Cette nuit, toutes les lettres mises à la boîte dans le quartier seront examinées et je parie qu'il y en aura une sur laquelle on reconnaîtra votre écriture. Il est probable que vous vous l'êtes adressée à vous-même.

Il chargea Lucas d'aller téléphoner à un inspecteur afin que des recherches soient faites dans ce sens. En réalité, il ne croyait pas qu'on obtiendrait un résultat, mais le coup avait porté.

— C'est classique, voyez-vous, mon petit !

C'était la première fois qu'il l'appelait ainsi, comme il l'aurait fait quai des Orfèvres, et elle lui lança un coup d'œil furieux.

— Avouez que vous me détestez !

— J'avoue que je n'ai pas pour vous une sympathie très vive.

Ils étaient seuls, maintenant, dans la salle à manger, autour de laquelle Maigret tournait à pas lents tandis qu'elle restait assise devant la table.

— Et, si cela vous intéresse, j'ajouterai que, ce qui me choque le plus, ce n'est pas tant ce que vous avez pu faire que votre sang-froid. Il m'en est passé beaucoup entre les mains, des hommes et des femmes. Voilà trois heures que nous sommes face à face et l'on peut dire que, depuis ce matin, vous vous sentez comme au bout d'un fil. Vous n'avez pas encore bronché. Votre mari va rentrer et vous allez essayer de vous poser en victime. Or vous savez que, fatalement, tôt ou tard, nous apprendrons la vérité.

— A quoi cela vous avancera-t-il ? Je n'ai rien fait.

— Alors, pourquoi cacher quelque chose ? Pourquoi mentir ?

Elle ne répondit pas, mais elle réfléchissait. Ce n'étaient pas ses nerfs qui cédaient, comme dans la plupart des cas. C'était son esprit qui travaillait à chercher une porte de sortie, à peser le pour et le contre.

— Je ne dirai rien, déclara-t-elle enfin en allant s'asseoir dans un fauteuil et en baissant son peignoir sur ses jambes nues.

— Comme il vous plaira.

Il se cala confortablement dans un autre fauteuil en face d'elle.

— Vous comptez rester longtemps chez moi ?

— En tout cas jusqu'au retour de votre mari.

— Vous lui parlerez des visites de M. Lorilleux à l'hôtel ?

— Si c'est indispensable.

— Vous êtes un goujat ! Jean ne sait rien, n'est pour rien dans cette histoire.

— Il est malheureusement votre mari.

Quand Lucas remonta, il les trouva face à face, silencieux l'un et l'autre, à se lancer des regards en dessous.

— Janvier s'occupe de la lettre, patron. J'ai rencontré Torrence en bas, qui m'a dit que l'homme était chez le marchand de vins, deux maisons plus loin que chez vous.

Elle se leva d'une détente.

— Quel homme ?

Et Maigret, sans bouger :

— Celui qui est venu la nuit dernière. Je suppose que vous vous attendiez à ce que, n'ayant rien trouvé, il revienne vous voir. Peut-être, cette fois, sera-t-il dans d'autres dispositions d'esprit ?

Elle regarda l'heure avec effroi. Il ne restait plus que vingt minutes pour que le train de Bergerac arrive en gare. Si son mari prenait un taxi, il ne fallait pas compter, en tout, sur plus de quarante minutes de délai.

— Vous savez qui c'est ?

— Je m'en doute. Il me suffira de descendre pour m'en assurer. C'est évidemment Lorilleux, qui est très anxieux de rentrer en possession de son bien.

— Ce n'est pas son bien.

— Mettons de ce qu'il considère, à tort ou à raison, comme son bien. Il doit être à la côte, cet homme. Il est venu vous voir par deux fois sans obtenir ce qu'il désirait. Il est revenu déguisé en Père Noël et va revenir à nouveau. Il sera fort surpris de vous trouver en notre compagnie et je suis persuadé qu'il se montrera plus loquace que vous. Les hommes, contrairement à ce que l'on pense, parlent plus facilement que les femmes. Croyez-vous qu'il soit armé ?

— Je n'en sais rien.

— A mon avis, il l'est. Il en a assez d'attendre. Je ne sais pas ce que vous lui avez raconté, mais il finit par la trouver mauvaise. Il a d'ailleurs une sale tête, ce monsieur. Rien de plus féroce que ces mous-là quand ils s'y mettent.

— Taisez-vous !

— Voulez-vous que nous nous retirions pour vous laisser le recevoir ?

Sur les notes de Maigret, on lit :

« 10 heures 38 — Elle parle. »

Mais il n'y eut pas de procès-verbal de ce premier récit. Ce furent des phrases hachées, lancées méchamment, et souvent Maigret, qui prenait la parole à sa place, affirmait, peut-être au petit bonheur, cependant qu'elle ne démentait pas ou se contentait de le corriger.

— Qu'est-ce que vous voulez savoir ?

— C'est de l'argent qu'il y a dans la valise placée en consigne ?

— Des billets de banque. Un peu moins d'un million.

— A qui cette somme appartenait-elle ? A Lorilleux ?

— Pas plus à Lorilleux qu'à moi.

— A un de ses clients ?

— Un certain Julien Boissy, qui venait souvent au magasin.

— Qu'est-il devenu ?

— Il est mort.

— Comment ?

— Il a été tué.

— Par qui ?

— Par M. Lorilleux.

— Pourquoi ?

— Parce que je lui avais laissé croire que, s'il disposait d'une forte somme, je partirais avec lui.

— Vous étiez déjà mariée ?

— Oui.

— Vous n'aimez pas votre mari ?

— Je déteste la médiocrité. J'ai été pauvre toute ma vie. Toute ma vie, je n'ai entendu parler que d'argent, de la nécessité des privations. Toute ma vie, j'ai vu compter autour de moi et j'ai dû compter.

Elle s'en prenait à Maigret, comme si celui-ci était responsable de ses misères.

— Vous auriez suivi Lorilleux ?

— Je ne sais pas. Peut-être pendant un certain temps.

— Le temps de lui prendre son argent ?

— Je vous hais !

— Comment le meurtre a-t-il été commis ?

— M. Boissy était un habitué du magasin.

— Amateur de livres érotiques ?

— C'était un vicieux, comme les autres, comme M. Lorilleux, comme vous probablement. Il était veuf et vivait seul dans une chambre d'hôtel, mais il était très riche, très avare aussi. Tous les riches sont avares.

— Pourtant, vous n'êtes pas riche.

— Je le serais devenue.

— Si Lorilleux n'avait pas reparu. Comment Boissy est-il mort ?

— Il avait peur des dévaluations et voulait de l'or, comme tout le monde à cette époque-là. M. Lorilleux

en faisait le trafic, allait régulièrement en chercher
en Suisse. Il se faisait payer d'avance. Une après-midi
M. Boissy a apporté la forte somme au magasin. Je
n'y étais pas. J'étais allée faire une course.

— Exprès ?

— Non.

— Vous ne vous doutiez pas de ce qui allait se
passer ?

— Non. N'essayez pas de me faire dire ça. Vous
perdriez votre temps. Seulement, quand je suis rentrée,
M. Lorilleux était en train d'emballer le corps dans
une grande caisse qu'il avait achetée tout exprès.

— Vous l'avez fait chanter ?

— Non.

— Comment expliquez-vous qu'il ait disparu après
vous avoir remis l'argent ?

— Parce que je lui ai fait peur.

— En le menaçant de le dénoncer ?

— Non. Je lui ai simplement dit que des voisins
m'avaient regardée d'un drôle d'œil et qu'il était
peut-être plus prudent de mettre l'argent en sûreté
pour quelque temps. Je lui ai parlé d'une lame du
parquet, dans mon logement, qu'il était facile de
soulever et de remettre en place. Il pensait que ce
n'était que pour quelques jours. Le surlendemain,
il m'a proposé de franchir la frontière belge avec lui.

— Vous avez refusé ?

— Je lui ai fait croire qu'un homme, qui me faisait
l'effet d'un inspecteur de police, m'avait arrêtée dans
la rue et m'avait posé des questions. Il a pris peur.
Je lui ai remis une petite partie de l'argent en lui
promettant d'aller le rejoindre à Bruxelles, dès qu'il
n'y aurait plus de danger.

— Qu'a-t-il fait du corps de Boissy ?

— Il l'a transporté dans une petite maison qu'il
possédait à la campagne, au bord de la Marne, et là,
je suppose qu'il l'a enterré ou jeté dans la rivière. Il
s'est servi d'un taxi. Personne n'a jamais parlé ensuite
de Boissy. Personne ne s'est inquiété de sa disparition.

— Vous êtes parvenue à envoyer Lorilleux seul en Belgique ?

— Cela a été facile.

— Et, pendant cinq ans, vous avez pu le tenir éloigné ?

— Je lui écrivais, à la poste restante, qu'il était recherché, que, si on n'en disait rien dans les journaux, c'est parce qu'on lui tendait un piège. Je lui racontais que j'étais tout le temps interrogée par la police. Je l'ai même envoyé en Amérique du Sud...

— Il est revenu il y a deux mois ?

— A peu près. Il était à bout.

— Vous ne lui avez pas envoyé d'argent ?

— Très peu.

— Pourquoi ?

Elle ne répondit pas, mais regarda l'horloge.

— Vous allez m'emmener ? De quoi m'accuserez-vous ? Je n'ai rien fait. Je n'ai pas tué Boissy. Je n'étais pas là quand il est mort. Je n'ai pas aidé à cacher le corps.

— Ne vous inquiétez pas de votre sort. Vous avez gardé l'argent parce que, toute votre vie, vous avez eu envie d'en posséder, non pas pour le dépenser, mais pour vous sentir riche, à l'abri du besoin.

— Cela me regarde.

— Quand Lorilleux est venu vous demander de l'aider, ou de tenir votre promesse de fuir avec lui, vous avez profité de l'accident de Colette pour prétendre que vous ne pouviez accéder à la cachette. Est-ce vrai ? Vous avez tenté de lui faire à nouveau passer la frontière.

— Il est resté à Paris, en se cachant.

Ses lèvres se retroussèrent en un drôle de sourire, involontaire, et elle ne put s'empêcher de murmurer :

— L'imbécile ! Il aurait pu dire son nom à tout le monde sans être inquiété !

— Il n'en a pas moins pensé au coup du Père Noël.

— Seulement, l'argent n'était plus sous le plancher. Il était ici, sous son nez, dans ma boîte à ouvrage.

Il lui aurait suffi d'en soulever le couvercle.

— Dans dix ou quinze minutes, votre mari sera ici, Lorilleux est en face qui le sait probablement, car il s'est renseigné ; il n'ignore pas que Martin était à Bergerac et il a dû consulter l'horaire des trains. Sans doute est-il occupé à se donner du courage. Je serais fort étonné qu'il ne soit pas armé. Vous désirez les attendre tous les deux ?

— Emmenez-moi. Le temps de passer une robe...

— Le reçu de la consigne ?

— A la poste restante du boulevard Beaumarchais.

Elle avait pénétré dans la chambre à coucher dont elle n'avait pas refermé la porte et, sans la moindre pudeur, elle retirait son peignoir, s'asseyait au bord du lit pour enfiler ses bas, cherchait une robe de lainage dans l'armoire.

Au dernier moment, elle saisit un sac de voyage et y fourrait pêle-mêle des objets de toilette et du linge.

— Partons vite.

— Votre mari ?

— Je me f... de cet imbécile-là.

— Colette ?

Elle ne répondit pas, haussa les épaules. La porte de Mlle Doncœur bougea quand ils passèrent. En bas, au moment de passer sur le trottoir, elle eut peur et se serra entre les deux hommes, scrutant le brouillard autour d'elle.

— Conduis-la quai des Orfèvres, Lucas. Je reste.

Il n'y avait pas de voiture en vue et on la sentait effrayée à l'idée de marcher dans l'obscurité sous la seule escorte du petit Lucas.

— N'ayez pas peur. Lorilleux n'est pas dans les parages.

— Vous avez menti !!!...

Maigret rentra dans la maison.

∴

La conversation avec Jean Martin dura deux longues heures et la plus grande partie se déroula en présence de son frère.

Quand Maigret quitta l'immeuble, vers une heure et demie du matin, il laissait les deux hommes en tête à tête. Il y avait de la lumière sous la porte de Mlle Doncœur, mais elle n'osa pas ouvrir, sans doute par pudeur, se contentant d'écouter les pas du commissaire.

Il traversa le boulevard, rentra chez lui, trouva sa femme endormie dans le fauteuil, devant la table de la salle à manger où son couvert était mis. Elle sursauta.

— Tu es seul?

Et, comme il la regardait avec un étonnement amusé :

— Tu n'as pas ramené la petite?

— Pas cette nuit. Elle dort. Demain matin, tu pourras aller la chercher, en ayant soin d'être bien gentille avec Mlle Doncœur.

— C'est vrai?

— Je te ferai envoyer deux infirmières avec un brancard.

— Mais alors... Nous allons...?

— Chut!... Pas pour toujours, tu comprends? Il se peut que Jean Martin se console... Il se peut aussi que son frère redevienne un homme normal et ait un jour un nouveau ménage...

— En somme, elle ne sera pas à nous?

— Pas à nous, non. Seulement prêtée. J'ai pensé que cela valait mieux que rien et que tu serais contente.

— Bien sûr, que je suis contente... Mais... mais...

Elle renifla, chercha un mouchoir, n'en trouva pas et enfouit son visage dans son tablier.

30 *mai* 1950.
Carmel by the sea
(Californie)

SEPT PETITES CROIX DANS UN CARNET

CHAPITRE

1

CHEZ MOI, DIT SOM-
mer, qui était en train de préparer du café sur un
réchaud électrique, on allait tous ensemble à la messe
de minuit, et le village était à une demi-heure de la
ferme. Nous étions cinq fils. L'hiver était plus froid
en ce temps-là, car je me souviens d'avoir fait la route
en traîneau.

Lecœur, devant son standard téléphonique aux
centaines de fiches, avait repoussé les écouteurs de
ses oreilles afin de suivre la conversation.

— Dans quelle région?

— En Lorraine.

— L'hiver n'était pas plus froid en Lorraine il y
a quarante ans qu'à présent, mais les paysans ne
possédaient pas d'autos. Combien de fois es-tu allé
à la messe de minuit en traîneau?

— Je ne sais pas...

— Trois fois? Deux fois? Peut-être une seule?
Mais cela t'a frappé parce que tu étais enfant.

— En tout cas, en rentrant, on trouvait un fameux
boudin comme je n'en ai jamais mangé depuis. Et
ça, ce n'est pas une idée. On n'a jamais su comment

ma mère le faisait, ni ce qu'elle mettait dedans, qui
le rendait différent de tous les autres boudins. Ma
femme a essayé. Elle a demandé à ma sœur aînée,
qui prétendait avoir la recette de maman.

Il marcha jusqu'à une des grandes fenêtres sans
rideaux derrière lesquelles il n'y avait que l'obscurité,
gratta la vitre avec son ongle.

— Tiens! Il y a du givre. Et ça aussi, ça me rappelle
quand j'étais petit. Le matin, pour me laver, je devais
souvent casser l'eau du broc, qui était pourtant dans
ma chambre.

— Parce que le chauffage central n'existait pas,
objecta tranquillement Lecœur.

Ils étaient trois, trois nuiteux, comme on disait,
enfermés dans cette vaste pièce depuis la veille à onze
heures du soir. Maintenant, c'était le coup de fatigue
de six heures du matin. Des restes de victuailles traînaient sur les meubles, avec trois ou quatre bouteilles
vides.

Une lumière, grande comme un cachet d'aspirine,
s'alluma, sur un des murs.

— XIIIe arrondissement, murmura Lecœur en
rajustant son casque. Quartier Croulebarbe.

Il saisit une fiche, la poussa dans un des trous.

— Quartier Croulebarbe? Votre car vient de sortir.
Qu'est-ce que c'est?

— Un agent qui appelle, boulevard Masséna. Rixe
entre deux ivrognes.

Soigneusement, Lecœur traça une petite croix dans
une des colonnes de son calepin.

— Qu'est-ce que vous faites, chez vous?

— On n'est que quatre au poste. Il y en a deux qui
jouent aux dominos.

— Vous avez mangé du boudin?

— Non. Pourquoi?

— Pour rien. Je raccroche. Il se passe quelque
chose dans le seizième.

Un gigantesque plan de Paris était peint sur le
mur, en face de lui, et les petites lampes qui s'y allu-

maient représentaient les postes de police. Dès qu'un de ceux-ci était alerté pour une raison quelconque, l'ampoule s'éclairait, Lecœur poussait sa fiche.

— Allô! Quartier Chaillot? Votre car vient de sortir.

Dans chacun des vingt arrondissements de Paris, devant la lanterne bleue de chaque commissariat, un ou plusieurs cars attendaient de se précipiter au premier appel.

— Comment?

— Véronal.

Une femme, évidemment. C'était la troisième cette nuit, la seconde dans le quartier élégant de Passy.

Lecœur traça une croix dans une autre colonne tandis que Mambret, à son bureau, remplissait des formules administratives.

— Allô! Odéon? Que se passe-t-il chez vous? Auto volée?

Cela, c'était pour Mambret, qui prenait des notes, décrochait un autre appareil, dictait le signalement de la voiture à Piedbœuf, le télégraphiste, dont ils entendaient bourdonner la voix juste au-dessus de leur tête. C'était la quarante-huitième auto volée que Piedbœuf avait à signaler depuis onze heures.

Pour d'autres, la nuit de Noël devait avoir une saveur spéciale. Des centaines de milliers de Parisiens s'étaient engouffrés dans les théâtres, dans les cinémas. Des milliers d'autres avaient, jusque très tard, fait leurs emplettes dans les grands magasins où des vendeurs aux jambes molles s'agitaient comme dans un cauchemar devant leurs rayons presque vides.

Il y avait, derrière les rideaux tirés, des réunions familiales, des dindes qui rôtissaient, des boudins sans doute préparés, comme celui de Sommer, selon une recette familiale, soigneusement transmise de mère en fille.

Il y avait des enfants qui dormaient fiévreusement et des parents qui, sans bruit, arrangeaient des jouets autour de l'arbre.

Il y avait les restaurants, les cabarets où toutes

les tables étaient retenues depuis huit jours. Il y avait, sur la Seine, la péniche de l'Armée du Salut où les clochards faisaient la queue en reniflant de bonnes odeurs.

Sommer avait une femme et des enfants. Piedbœuf, là-haut, le télégraphiste, était père depuis huit jours.

Sans le givre sur les vitres, ils n'auraient pas su qu'il faisait froid dehors et ils ne connaissaient pas la couleur de cette nuit-là. Pour eux, c'était la couleur jaunâtre de ce vaste bureau, en face du Palais de Justice, dans les bâtiments de la Préfecture de Police qui étaient vides autour d'eux, où après-demain seulement les gens se précipiteraient à nouveau pour des cartes d'étrangers, des permis de conduire, des visas de passeports, des réclamations de toutes sortes.

En bas, dans la cour, des cars attendaient, pour les cas importants, avec les hommes somnolant sur les banquettes.

Mais il n'y avait pas eu de cas importants. Les petites croix, dans le carnet de Lecœur, étaient éloquentes. Il ne se donnait pas la peine de les compter. Il savait qu'il y en avait près de deux cents à la colonne des ivrognes.

Parce qu'on n'était pas sévère cette nuit-là, évidemment. Les sergents de ville essayaient de persuader les gens de rentrer chez eux sans esclandre. On n'intervenait que quand ils avaient le vin méchant, qu'ils se mettaient à casser les verres autour d'eux ou à menacer de paisibles consommateurs.

Deux cents types — dont quelques femmes — dans les différents postes de police, qui dormaient lourdement sur les planches, derrière les grilles.

Cinq coups de couteau, deux à la Porte d'Italie et trois tout en haut de Montmartre, pas dans le Montmartre des boîtes de nuit, mais dans la zone, dans les baraques faites de vieilles caisses et de carton bitumé où vivent plus de cent mille Nord-Africains.

Quelques enfants perdus — d'ailleurs retrouvés peu après — à l'heure des messes, dans la cohue.

— Allô! Chaillot? Comment va la femme au véronal?

Elle n'était pas morte. Celles-là meurent rarement. La plupart du temps, elles s'arrangent pour ne pas mourir. Le geste suffit.

— A propos de boudin, commença Randon, qui fumait une grosse pipe en écume, cela me rappelle...

On ne sut pas ce que cela lui rappelait. On entendait, dans l'escalier non éclairé, des pas hésitants, une main tâtonnait, on voyait tourner le bouton de la porte. Ils regardaient tous les trois, surpris que quelqu'un eût l'idée de venir les trouver de la sorte, à six heures du matin.

— Salut! fit l'homme en lançant son chapeau sur une chaise.

— Qu'est-ce que tu viens faire ici, Janvier?

C'était un inspecteur de la brigade des homicides, un jeune, qui alla d'abord se chauffer les mains au-dessus du radiateur.

— Je m'ennuyais, tout seul là-bas, dit-il. Si le tueur fait des siennes, c'est ici que je serai le plus vite informé.

Il avait passé la nuit, lui aussi, mais de l'autre côté de la rue, dans les bureaux de la Police Judiciaire.

— Je peux? questionna-t-il en soulevant la cafetière. Le vent est glacé.

Il en avait les oreilles rouges, les paupières clignotantes.

— On ne saura rien avant huit heures du matin, probablement plus tard, dit Lecœur.

Il y avait quinze ans qu'il passait ses nuits ici, devant la carte aux petites lampes, devant son standard téléphonique. Il connaissait par leur nom la plupart des agents de Paris, des nuiteux en tout cas. Il était même au courant de leurs petites affaires car, les nuits calmes, quand les lampes restaient longtemps sans s'allumer, on bavardait à travers l'espace.

— Comment cela va-t-il, chez vous?

Il connaissait aussi la plupart des postes de police,

mais pas tous. Il en imaginait l'atmosphère, les sergents de ville à ceinturon relâché, au col ouvert, qui, comme on le faisait ici, se préparaient du café. Mais il ne les avait jamais vus. Il ne les aurait pas reconnus dans la rue. Pas plus qu'il n'avait mis les pieds dans ces hôpitaux dont les noms lui étaient aussi familiers qu'à d'autres les noms des tantes et des oncles.

— Allô! Bichat? Comment va le blessé qu'on vous a amené il y a vingt minutes? Mort?

Une petite croix dans le calepin. On pouvait lui poser des questions difficiles :

« — Combien y a-t-il, chaque année, à Paris, de crimes qui ont l'argent pour mobile? »

Sans hésiter, il répondait :

« — Soixante-sept.

« — Combien de meurtres commis par des étrangers?

« — Quarante-deux.

« — Combien de...? »

Il n'en montrait aucun orgueil. Il était méticuleux, un point c'est tout. C'était son métier. Il n'était pas tenu à inscrire les petites croix dans son carnet, mais cela l'aidait à passer le temps et cela lui procurait autant de satisfaction qu'une collection de timbres-poste.

Il n'était pas marié. On ne savait même pas où il habitait, ce qu'il devenait une fois sorti de ce bureau où il vivait la nuit. A vrai dire, on l'imaginait mal dehors, dans la rue, comme tout le monde.

« — Pour les choses importantes, il faut attendre que les gens se lèvent, que les concierges montent le courrier, que les bonnes préparent le petit déjeuner et aillent éveiller leurs patrons. »

Il n'avait aucun mérite à le savoir, puisque c'était toujours ainsi que cela se passait. Plus tôt en été, plus tard en hiver. Et, aujourd'hui, ce serait plus tard encore, étant donné qu'une bonne partie de la population était à cuver le vin et le champagne du réveillon. Il y avait encore des gens dans les rues,

des portes de restaurants qui s'entrouvraient pour
laisser sortir les derniers clients.

On signalerait de nouvelles autos volées. Probablement aussi deux ou trois ivrognes saisis par le froid.

— Allô! Saint-Gervais?...

Son Paris était un Paris à part, dont les monuments
n'étaient pas la Tour Eiffel, l'Opéra ou le Louvre,
mais de sombres immeubles administratifs avec un
car de police sous la lanterne bleue et, contre le mur,
les vélos des agents cyclistes.

— Le patron, disait Janvier, est persuadé que
l'homme fera quelque chose cette nuit. Ce sont des
nuits pour ces gens-là. Les fêtes, ça les excite.

On ne prononçait pas de nom, parce qu'on n'en
connaissait pas. On ne pouvait même pas dire « l'homme
au pardessus beige », ou « l'homme au chapeau gris »,
puisque personne ne l'avait vu. Certains journaux
l'avaient appelé M. Dimanche, parce que trois des
meurtres avaient été commis un dimanche, mais il
y en avait eu, depuis, cinq encore, commis d'autres
jours de la semaine, à la moyenne d'un par semaine,
mais sans que ça non plus fût régulier.

— C'est à cause de lui qu'on t'a fait veiller?

Pour la même raison, on avait renforcé la surveillance nocturne dans tout Paris, ce qui se traduisait,
pour les agents et les inspecteurs, par des heures sup-
plémentaires.

— Vous verrez, dit Sommer, quand on lui mettra
la main dessus, que c'est encore un piqué.

— Un piqué qui tue, soupira Janvier en buvant
son café. Dis donc, une de tes lampes est allumée.

— Allô! Bercy? Votre car est sorti? Comment?
Un instant. Noyé?

On voyait Lecœur hésiter sur le choix de la colonne
où tracer sa croix. Il y en avait une pour les pendai-
sons, une autre pour les gens qui, faute d'arme, se
jettent par la fenêtre. Il y en avait pour les noyés,
pour les coups de revolver, pour...

— Dites donc, vous autres! Vous savez ce qu'un

gars vient de faire au Pont d'Austerlitz? Qui est-ce qui parlait de piqué il y a un moment? Le type s'est attaché une pierre aux chevilles, a grimpé sur le parapet, une corde au cou et s'est tiré une balle dans la tête.

Au fait, il existait une colonne pour ça aussi : neurasthénie!

C'était l'heure, maintenant, où les gens qui'n'avaient pas réveillonné se rendaient aux premières messes, le nez humide, les mains enfoncées dans les poches, marchant penchés dans la bise qui chassait comme une poussière de glace sur les trottoirs. C'était l'heure aussi à laquelle les enfants commençaient à s'éveiller et, allumant les lampes, se précipitaient, en chemise et pieds nus, vers l'arbre merveilleux.

— Si notre gaillard était vraiment un piqué, d'après le médecin légiste, il tuerait toujours de la même façon, que ce soit avec un couteau, un revolver ou n'importe quoi.

— De quelle arme s'est-il servi, la dernière fois?

— Un marteau.

— Et la fois d'avant?

— Un poignard.

— Qu'est-ce qui prouve que c'est le même?

— Le fait, d'abord, que les huit crimes ont été commis presque coup sur coup. Il serait étonnant que huit nouveaux meurtriers opèrent soudain dans Paris.

On sentait que l'inspecteur Janvier en avait beaucoup entendu parler à la Police Judiciaire.

— Il y a, en outre, dans ces meurtres, comme un air de famille. Chaque fois, la victime est une personne isolée, jeune ou vieille, mais invariablement isolée. Des gens qui vivent seuls, sans famille, sans amis.

Sommer regarda Lecœur à qui il ne pardonnait pas d'être célibataire et surtout de ne pas avoir d'enfants. Lui en avait cinq et sa femme en attendait un sixième.

— Comme toi, Lecœur! Fais attention!

— Il y a également, comme indication, les zones dans lesquelles il sévit. Pas un des assassinats n'a eu lieu dans les quartiers riches, ou même bourgeois.

— Pourtant, il vole.

— Il vole, mais pas beaucoup à la fois. Des petites sommes. Les magots cachés dans le matelas ou dans une vieille jupe. Il ne procède pas par effraction, ne paraît pas être particulièrement outillé comme cambrioleur, et pourtant il ne laisse pas de traces.

Une petite lumière. Auto volée, à la porte d'un restaurant de la place des Ternes, non loin de l'Étoile.

— Ce qui doit le plus faire enrager ceux qui ne retrouvent pas leur voiture, c'est de rentrer chez eux en métro.

Encore une heure, une heure et demie, et ce serait la relève, sauf pour Lecœur, qui avait promis à un camarade de le remplacer parce que l'autre était allé passer Noël en famille dans les environs de Rouen.

Cela arrivait souvent. C'était devenu si banal qu'on ne se gênait plus avec lui.

— Dis donc, Lecœur, tu ne peux pas me remplacer demain ?

Au début, on cherchait une excuse sentimentale, une mère malade, un enterrement, une première communion. On lui apportait un gâteau, de la charcuterie fine ou une bouteille de vin.

En réalité, s'il l'avait pu, Lecœur aurait passé vingt-quatre heures sur vingt-quatre dans cette pièce, en s'étendant parfois sur un lit de camp, mijotant sa cuisine sur le réchaud électrique. Chose curieuse, bien qu'il fût aussi soigné que les autres, davantage que certains, que Sommer, par exemple, dont les pantalons ne recevaient pas souvent le coup de fer, il y avait en lui quelque chose de terne qui trahissait le célibataire.

Il portait des verres épais comme des loupes qui lui faisaient de gros yeux ronds et on était tout surpris, quand il retirait ses lunettes pour les essuyer avec une peau de chamois qu'il avait toujours dans sa poche, de lui découvrir un regard fuyant et presque timide.

— Allô! Javel?

C'était une des lampes du XVe arrondissement vers le quai de Javel, dans le quartier des usines, qui venait de s'allumer.

— Votre car est sorti?

— Nous ne savons pas encore ce que c'est. Quelqu'un a brisé la glace d'une borne de police-secours, rue Leblanc.

— Personne n'a parlé?

— Rien. Le car est parti voir. Je vous rappellerai.

Il y a ainsi, dans Paris, le long des trottoirs, des centaines de bornes rouges dont il suffit de casser la glace pour être en communication téléphonique avec le commissariat le plus proche. Un passant avait-il cassé celle-là par inadvertance?

— Allô! Central? Notre car rentre, à l'instant. Il n'y avait personne. Les environs sont calmes. On fait patrouiller le quartier.

Dans la dernière colonne, celle des divers, Lecœur, par acquit de conscience, traça quand même une petite croix.

— Plus de café? questionna-t-il.

— Je vais en refaire.

La même lampe s'allumait déjà au tableau. Dix minutes ne s'étaient pas écoulées depuis le premier appel.

— Javel? Qu'est-ce que c'est?

— Encore un poste de police-secours.

— On n'a pas parlé?

— Rien. Un mauvais plaisant. Quelqu'un qui trouve drôle de nous déranger. Cette fois, on va essayer de lui mettre la main dessus.

— A quel endroit?

— Pont Mirabeau.

— Dis donc, il a marché vite, le frère.

Il y avait en effet un bon bout de chemin entre les deux bornes rouges. Mais on ne se préoccupait pas encore de ces appels. Trois jours plus tôt, on avait ainsi brisé la vitre d'une borne pour crier avec défi :

« — Mort aux flics! »

Janvier, les pieds sur un des radiateurs, commençait à s'assoupir et, quand il entendit à nouveau la voix de Lecœur qui téléphonait, il entrouvrit les yeux, aperçut une des petites lampes allumées, questionna d'une voix de rêve

— Encore lui ?

— Une vitre brisée, de Versailles, oui.

— C'est idiot! balbutia-t-il en s'enfonçant confortablement dans sa somnolence.

Le jour se lèverait tard, pas avant sept heures et demie ou huit heures. Parfois on entendait vaguement des bruits de cloches, mais c'était dans un autre univers. Les pauvres agents, en bas, devaient être frigorifiés dans les cars de secours.

— A propos de boudin...

— Quel boudin? murmura Janvier qui, endormi, les pommettes roses, avait l'air d'un enfant.

— Le boudin que ma mère...

— Allô! Tu ne vas pas m'annoncer qu'on a brisé la vitre d'un de tes postes?... Hein?... C'est vrai?... Il vient déjà d'en casser deux dans le XVe... Non! Ils n'ont pas pu mettre la main dessus... Dis donc, c'est un coureur, ce gars-là... Il a traversé la Seine au Pont Mirabeau... On dirait qu'il se dirige vers le centre de la ville... Oui, essayez...

Cela faisait une nouvelle petite croix et à sept heures et demie, une demi-heure avant la relève, il y en avait cinq dans la colonne.

Maniaque ou pas maniaque, l'individu allait bon train. Il est vrai qu'il ne régnait pas une température à flâner. Un moment, il avait paru longer les berges de la Seine. Il ne suivait pas une ligne droite. Il avait fait un crochet dans les quartiers riches d'Auteuil et brisé une vitre rue La Fontaine.

— Il n'est qu'à cinq minutes du Bois de Boulogne, annonça Lecœur. Si c'est là qu'il se rend, nous allons perdre sa piste.

Mais l'inconnu avait fait demi-tour, ou presque.

était revenu vers les quais, brisant une vitre rue Berton,
à deux pas du quai de Passy.

Les premiers appels étaient venus des quartiers
pauvres et populaires de Grenelle. L'homme n'avait
eu que la Seine à franchir pour que le décor changeât,
pour qu'il se trouvât errer dans des rues spacieuses
où il ne devait pas y avoir un chat à cette heure.
Tout était fermé, sûrement. Ses pas résonnaient sur
le pavé durci par le gel.

Sixième appel : il avait contourné le Trocadéro
et se trouvait maintenant rue de Longchamp.

— Un qui se prend pour le Petit Poucet, remarqua
Mambret. Faute de miettes de pain et de cailloux
blancs, il sème du verre brisé.

Il y eut d'autres appels, coup sur coup, des voitures
volées encore, un coup de feu du côté de la rue de
Flandre, un blessé qui prétendait ignorer qui avait
tiré sur lui alors qu'on l'avait vu toute la nuit boire
avec un compagnon.

— Bon ! Voilà Javel qui rapplique ! Allô ! Javel !
Je suppose que c'est encore ton briseur de glaces :
il n'a pas eu le temps de revenir à son point de départ.
Comment ? Mais oui, il continue. Il doit être maintenant aux alentours des Champs-Élysées... Hein ?... Un
instant... Raconte... Rue comment ? ? ? Michat ?...
Comme un chat, oui... Entre la rue Lecourbe et le
boulevard Félix-Faure... oui... Il y a un viaduc de
chemin de fer, par là... Oui... Je vois... Le 17... Qui
a appelé ?... La concierge ?... Elle était levée à cette
heure ?... Vos gueules, vous autres !

» Non, ce n'est pas à toi que je parle. C'est à Sommer qui est encore en train de nous casser les oreilles
avec son boudin...

» Donc, la concierge... Je vois ça... Un grand immeuble pauvre... Sept étages... Bon... »

C'était plein, dans ce quartier, de constructions qui
n'étaient pas vieilles, mais si médiocrement bâties qu'à
peine habitées elles semblaient décrépites. Elles se
dressaient parmi des terrains vagues, avec leurs pans

de murs sombres, leurs pignons bariolés de réclames
qui dominaient des maisons banlieusardes, parfois
des pavillons à un seul étage.

— Tu dis qu'elle a entendu courir dans l'escalier
et que la porte s'est violemment refermée... Elle était
ouverte?... La concierge ne sait pas comment cela se
fait?... A quel étage?... A l'entresol, sur la cour...
Continue... Je vois que le car du VIIIe vient de sortir
et je parie que c'est mon briseur de vitres... Une vieille
femme... Comment?... La mère Fayet?... Elle faisait
des ménages... Morte?... Instrument contondant... Le
médecin y est?... Tu es sûr qu'elle est morte?... On
lui a pris son magot?... Je demande ça parce que je
suppose qu'elle avait un magot... Oui... Rappelle-moi...
Sinon, c'est moi qui te sonnerai...

Il se tourna vers l'inspecteur endormi.

— Janvier! Hé! Janvier! Je crois que c'est pour
toi.

— Qui? Qu'est-ce que c'est?

— Le tueur.

— Où?

— A Javel. Je t'ai inscrit l'adresse sur ce bout de
papier. Cette fois, il s'en est pris à une vieille femme
qui fait des ménages, la mère Fayet.

Janvier endossait son pardessus, cherchait son
chapeau, avalait un fond de café qui restait dans sa
tasse.

— Qui est-ce qui s'en occupe, du XVe?

— Gonesse.

— Tu préviendras la P. J. que je suis là-bas.

L'instant d'après, Lecœur pouvait ajouter une
petite croix, la septième, dans la dernière colonne de
son calepin. On avait fait éclater la vitre d'une borne
de police-secours, avenue d'Iéna, à cent cinquante
mètres de l'Arc de Triomphe.

— Parmi les débris de verre, on a retrouvé un
mouchoir avec des traces de sang. C'est un mouchoir
d'enfant.

— Il n'y a pas d'initiales?

— Non. C'est un mouchoir à carreaux bleus, pas très propre. L'individu devait s'en entourer le poing pour casser les vitres.

On entendait des pas dans l'escalier. C'était la relève, les hommes de jour. Ils étaient rasés et on voyait à leur peau tendue et rose qu'ils venaient de se laver à l'eau fraîche, de circuler dans la bise glacée.

— Bon réveillon, vous autres?

Sommer refermait la petite boîte en fer dans laquelle il avait apporté son repas. Il n'y avait que Lecœur à ne pas bouger, puisqu'il restait, et allait également faire partie de cette équipe-ci.

Le gros Godin était déjà en train de passer la blouse de toile qu'il portait pour travailler et sitôt entré, mettait de l'eau à chauffer pour un grog. Il traînait tout l'hiver le même rhume, qu'il soignait, ou qu'il entretenait, à grand renfort de grogs.

— Allô! oui... Non, je ne m'en vais pas... Je remplace Potier qui est allé voir sa famille... Alors... Oui, cela m'intéresse personnellement... Janvier est parti, mais je transmettrai le message à la P. J.... Un invalide?... Quel invalide?

Il faut toujours de la patience, au début, pour s'y retrouver, parce que les gens vous parlent de l'affaire dont ils s'occupent comme si le monde entier était au courant.

— Le pavillon derrière, oui... Donc, pas dans la rue Michat... Rue?... Rue Vasco-de-Gama?... Mais oui, je connais... La petite maison avec un jardin et une grille... Je ne savais pas qu'il était invalide... Bon... Il ne dort presque pas... Un gamin qui grimpait par le tuyau de la gouttière?... Quel âge... Il ne sait pas?... C'est vrai, il faisait noir... Comment sait-il que c'était un gamin?... Écoute, sois assez gentil pour me rappeler... Tu t'en vas aussi?... Qui est-ce qui te remplace?... Le gros Jules?... Celui qui... Oui... Bon... Dis-lui le bonjour de ma part et demande-lui de me téléphoner...

— Qu'est-ce que c'est ? questionna un des nouveaux.

— Une vieille femme qui s'est fait refroidir, à Javel.

— Par qui ?

— Une espèce d'invalide, qui habite une maison derrière l'immeuble, prétend avoir vu un gamin grimper le long du mur vers sa fenêtre...

— C'est le gamin qui aurait tué ?

— C'est en tout cas un mouchoir d'enfant qu'on a retrouvé près d'un des postes de police-secours.

On l'écoutait d'une oreille distraite. Les lampes étaient encore allumées, mais un jour cru perçait les vitres couvertes de fleurs de givre. Quelqu'un encore alla gratter la surface crissante. C'est instinctif. Peut-être un souvenir d'enfance, comme le boudin de Sommer ?

Les nuiteux étaient partis. Les autres s'organisaient, s'installaient pour la journée, feuilletaient les rapports.

Auto volée, square La Bruyère.

Lecœur regardait ses sept petites croix d'un air préoccupé, se levait en soupirant pour aller se camper devant l'immense carte murale.

— Tu apprends ton plan de Paris par cœur ?

— Je le connais. Mais il y a un détail qui me frappe. En une heure et demie environ, on a brisé sept vitres de bornes de secours. Or je remarque que celui qui s'est livré à ce jeu-là non seulement ne marchait pas en ligne droite, ne suivait pas un chemin déterminé pour se rendre d'un point à un autre, mais faisait d'assez nombreux zigzags.

— Peut-être qu'il ne connaît pas bien Paris ?

— Ou qu'il le connaît trop. Pas une seule fois, en effet, il n'est passé devant un poste de police, alors qu'il en aurait rencontré plusieurs sur son chemin s'il avait pris au plus court. Et à quels carrefours a-t-on des chances de rencontrer un sergent de ville ?

Il les désigna du doigt.

— Il n'y est pas passé non plus. Il les a contournés.

Il n'a couru un risque qu'en franchissant le pont Mirabeau, mais il l'aurait couru en traversant la Seine n'importe où.

— Il est sans doute saoul, plaisanta Godin, qui dégustait son rhum à petites gorgées, en soufflant dessus.

— Ce que je me demande, c'est pourquoi il ne casse plus de vitres?

— Il est sans doute arrivé chez lui, cet homme.

— Un type qui se trouve à six heures du matin dans le quartier de Javel a peu de chances d'habiter l'Étoile.

— Ça te passionne?

— Cela me fait peur.

— Sans blague?

C'était en effet une chose surprenante de voir s'inquiéter Lecœur, pour qui les nuits les plus dramatiques de Paris se résumaient en quelques petites croix dans un calepin.

— Allô! Javel?... Le gros Jules?... Ici, Lecœur, oui... Dites donc... Derrière l'immeuble de la rue Michat, il y a la maison de l'invalide... Bon... Mais à côté de celle-ci se dresse un autre immeuble, en briques rouges, avec une épicerie au rez-de-chaussée... Oui... Il ne s'est rien passé dans cette maison-là?... La concierge n'a rien dit?... Je ne sais pas... Non, je ne sais rien... Peut-être vaudrait-il mieux aller le lui demander, oui...

Il avait chaud, tout à coup, et il éteignit une cigarette à moitié consumée.

— Allô! Les Ternes? Vous n'avez pas eu d'appels de police-secours dans votre quartier? Rien? Seulement des ivrognes? Merci. A propos... La patrouille cycliste est sortie?... Elle va partir?... Demandez-leur donc de regarder à tout hasard s'ils ne voient pas un gamin... Un gamin qui aurait l'air fatigué et qui saignerait de la main droite... Non, ce n'est pas une disparition... Je vous expliquerai une autre fois...

Son regard ne quittait pas le plan mural, où aucune lumière ne parut pendant dix bonnes minutes. Et ce fut alors pour une asphyxie accidentelle par le gaz, dans le XVIIIe, tout en haut de Montmartre.

Il n'y avait guère, dans les rues froides de Paris, que des silhouettes noires qui revenaient frileusement des premières messes.

CHAPITRE

2

UNE DES IMPRESSIONS les plus aiguës qu'André Lecœur gardait de son enfance était une impression d'immobilité. Son univers, alors, était une grande cuisine, à Orléans, tout au bout de la ville. Il avait dû y passer les hivers comme les étés, mais il la revoyait surtout inondée de soleil, la porte ouverte, avec une barrière à claire-voie que son père avait construite un dimanche pour l'empêcher d'aller seul dans le jardin, où caquetaient des poules et où les lapins mâchonnaient toute la journée derrière leur grillage.

A huit heures et demie, son père partait à vélo pour l'usine à gaz où il travaillait, à l'autre extrémité de la ville. Sa mère faisait le ménage, toujours dans le même ordre, montait dans les chambres, posait les matelas sur l'appui des fenêtres.

Et déjà, presque tout de suite, la sonnette du marchand de légumes poussant sa charrette dans la rue annonçait qu'il était dix heures. A onze heures, deux fois la semaine, le docteur barbu venait voir son petit frère, qui était toujours malade, et dans la chambre de qui il n'avait pas le droit de pénétrer.

C'était tout. Il ne se passait rien d'autre. Il avait

à peine le temps de jouer, de boire son verre de lait,
que son père rentrait déjeuner.

Or son père avait fait des encaissements dans plusieurs quartiers, rencontré des tas de gens, dont il
parlait à table, cependant qu'ici le temps n'avait
presque pas bougé. Et l'après-midi, peut-être à cause
de la sieste, passait encore plus vite.

— J'ai tout juste le temps de me mettre à mon
ménage qu'il est déjà l'heure de manger, soupirait souvent sa mère.

C'était un peu pareil ici, dans cette grande pièce
du *Central* où l'air lui-même était immobile, où les
employés s'engourdissaient, où l'on finissait par entendre les sonneries et les voix comme à travers une
mince couche de sommeil.

Quelques petites lampes qui s'allumaient sur la
carte murale, quelques petites croix — une auto venait
d'être heurtée par un autobus rue de Clignancourt —
et déjà on rappelait du commissariat de Javel.

Ce n'était plus le gros Jules. C'était l'inspecteur
Gonesse, celui qui s'était rendu sur les lieux. On avait
eu tout le temps de le rejoindre, de lui parler de la
maison de la rue Vasco-de-Gama. Il y était allé, en
revenait très excité.

— C'est vous, Lecœur?

Il y avait quelque chose de spécial dans sa voix,
de la mauvaise humeur ou un soupçon.

— Dites donc, comment se fait-il que vous ayez
pensé à cette maison-là? Vous connaissiez la mère
Fayet?

— Je ne l'ai jamais vue, mais je la connais.

Ce qui advenait par ce matin de Noël, il y avait dix
ans au moins qu'André Lecœur y pensait. Plus exactement, quand il laissait son regard errer sur le plan de
Paris où les ampoules s'éclairaient, il lui arrivait de se
dire:

— Un jour, fatalement, il s'agira de quelqu'un que
je connais.

Parfois, un événement se produisait dans son quartier, près de sa rue, mais jamais tout à fait dedans. Comme un orage, cela se rapprochait et s'éloignait, sans tomber à l'endroit précis où il habitait.

Or, cette fois, cela venait de se produire.

— Vous avez questionné la concierge ? demanda-t-il. Elle était levée ?

Il imaginait, à l'autre bout du fil, l'inspecteur Gonesse, mi-figue, mi-raisin, et poursuivait :

— Le gamin est chez lui ?

Et Gonesse de grommeler :

— Vous connaissez celui-là aussi ?

— C'est mon neveu. On ne vous a pas dit qu'il s'appelle Lecœur, François Lecœur ?

— On me l'a dit.

— Alors ?

— Il n'est pas chez lui.

— Et son père ?

— Il est rentré ce matin un peu après sept heures.

— Comme d'habitude, je sais. Il travaille la nuit, lui aussi.

— La concierge l'a entendu monter dans son logement, au troisième sur la cour.

— Je connais.

— Il est redescendu presque tout de suite et a frappé à la porte de la loge. Il paraissait très ému. Pour employer les mots de la concierge, il avait l'air égaré.

— Le gosse a disparu ?

— Oui. Le père a demandé si on l'avait vu sortir, et à quelle heure. La concierge ne savait pas. Alors, il a voulu savoir si on n'avait pas délivré un télégramme pendant la soirée, ou tôt le matin.

— Il n'y a pas eu de télégramme ?

— Non. Vous y comprenez quelque chose ? Vous ne croyez pas, puisque vous êtes de la famille et que vous êtes au courant, que vous feriez mieux de venir jusqu'ici ?

— Cela ne servirait à rien. Où est Janvier ?

— Dans la chambre de la mère Fayet. Les gens de l'Identité judiciaire viennent d'arriver et se sont mis

au travail. Ils ont tout de suite relevé des empreintes
de doigts d'enfant sur le bouton de la porte. Pourquoi
ne faites-vous pas un saut ?

Lecœur répondit mollement :

— Il n'y a personne pour me remplacer.

C'était vrai ; à la rigueur, en téléphonant ici et là,
il aurait trouvé un collègue disposé à venir passer une
heure ou deux au Central. La vérité, c'est qu'il n'avait
pas envie d'être sur place, que cela n'aurait rien
avancé.

— Écoutez, Gonesse, il faut que je retrouve le
gamin, vous comprenez ? Il y a une demi-heure, il
devait errer du côté de l'Étoile. Dites à Janvier que
je reste ici, que la mère Fayet avait beaucoup d'argent,
sans doute, caché chez elle.

Un peu fébrile, il changea sa fiche de trou, appela les
différents commissariats du VIIIe arrondissement.

— Cherchez un gamin de dix à onze ans, modes-
tement vêtu, et surveillez en particulier les bornes
de police-secours.

Ses deux collègues le regardaient avec curiosité.

— Tu crois que c'est le gosse qui a fait le coup ?

Il ne se donna pas la peine de leur répondre. Il
appelait le central téléphonique, là-haut.

— Justin! Tiens! C'est toi qui es de service ? Veux-
tu demander aux voitures-radio de chercher un gamin
d'une dizaine d'années qui est à errer quelque part du
côté de l'Étoile ? Non, je ne sais pas vers où il se dirige.
Il paraît éviter les rues où il y a des commissariats et
les carrefours importants où il risque de rencontrer un
sergent de ville.

Il connaissait le logement de son frère, rue Vasco-de-
Gama, deux pièces sombres et une cuisine minuscule,
où le gamin passait toutes ses nuits seul tandis que le
père allait à son travail. Des fenêtres, on apercevait le
derrière de la maison de la rue Michat, avec du linge
qui pendait, des pots de géraniums et, derrière les
vitres dont beaucoup étaient sans rideaux, toute une
humanité hétéroclite.

Au fait, là aussi, les carreaux devaient être couverts de givre. Le détail le frappait. Il le classait dans un coin de sa mémoire, car il lui semblait que cela devait avoir son importance.

— Tu crois que c'est un enfant qui enfonce les vitres des avertisseurs ?

— On a retrouvé un mouchoir d'enfant, dit-il brièvement.

Et il restait là, en suspens, se demandant dans quel trou enfoncer sa fiche.

Dehors, des gens avaient l'air d'agir à une vitesse vertigineuse. Le temps, pour Lecœur, de répondre à un appel, et le médecin était sur les lieux, puis le substitut et un juge d'instruction qu'on avait dû arracher à son sommeil.

A quoi bon aller sur place, puisque d'ici il voyait les rues, les maisons aussi nettement que ceux qui s'y trouvaient, avec le viaduc du chemin de fer qui traçait une grande ligne noire au travers du paysage ?

Rien que des pauvres, dans ce quartier-là, des jeunes qui espéraient en sortir un jour, des moins jeunes qui commençaient à perdre confiance et des moins jeunes encore, des presque vieux, de vrais vieux, enfin, qui s'efforçaient de faire bon ménage avec leur destin.

Il appela Javel une fois de plus.

— L'inspecteur Gonesse est toujours là ?

— Il rédige son rapport. Je l'appelle ?

— S'il vous plaît... Allô ! Gonesse ?... Lecœur, ici... Pardonnez-moi de vous déranger... Vous êtes monté dans le logement de mon frère ?... Bon ! Le lit du gosse était-il défait ? Cela me rassure un peu... Attendez... Est-ce qu'il y avait des paquets ?... C'est cela... Comment ? Un poulet, du boudin, un saint-honoré, et... Je ne comprends pas la suite... Un petit appareil de radio ?... Cela n'avait pas été déballé ?... Évidemment !... Janvier n'est pas par là ?... Il a déjà téléphoné à la P. J. ?... Merci...

Il fut tout surpris de voir qu'il était déjà neuf heures et demie. Ce n'était plus la peine de regarder le plan de

Paris dans la section de l'Étoile. Si le gamin avait
continué à marcher à la même allure, il avait eu le
temps d'atteindre une des banlieues de la capitale.

— Allô! La P. J.? Est-ce que le commissaire
Saillard est à son bureau?

Lui aussi avait dû être arraché à la chaleur de son
appartement par l'appel de Janvier. A combien de
personnes cette histoire était-elle en train de gâcher leur
Noël?

— Excusez-moi de vous appeler, monsieur le commissaire. C'est au sujet du jeune Lecœur.

— Vous savez quelque chose? Il est de votre
famille?

— C'est le fils de mon frère. Probablement est-ce lui
qui a brisé la vitre de sept postes de secours. Je ne sais
pas si on a eu le temps de vous dire qu'à partir de
l'Étoile nous perdons sa trace. Je voudrais vous
demander la permission de lancer un appel général.

— Vous ne pouvez pas venir me voir?

— Je n'ai personne sous la main pour me remplacer.

— Faites l'appel. J'arrive.

Lecœur restait calme, mais sa main frémissait un
peu sur les fiches.

— C'est toi, Justin? Appel général. Donne le
signalement du gosse. Je ne sais pas comment il est
habillé, mais il porte probablement son blouson kaki
taillé dans un blouson de l'armée américaine. Il est
grand pour son âge, assez maigre. Non, pas de casquette.
Il est toujours nu-tête, avec les cheveux qui lui
tombent sur le front. Peut-être ferais-tu bien de donner
le signalement de son père aussi. Cela m'est plus difficile. Tu me connais, n'est-ce pas? Eh bien! il me
ressemble en plus pâle. Il a l'air timide, maladif. C'est
l'homme qui n'ose pas occuper le milieu du trottoir
et qui se glisse le long des maisons. Il marche un peu
de travers, car il a reçu une balle dans le pied à la
dernière guerre. Non! je n'ai pas la moindre idée de
l'endroit vers lequel ils se dirigent. Je ne crois pas qu'ils
soient ensemble. Ce qui est plus que probable, c'est que

le gamin est en danger. Pourquoi ? Ce serait trop long
à t'expliquer. Lance ton appel. Qu'on m'avertisse ici
s'il y a du nouveau.

La durée d'un coup de téléphone et le commissaire
Saillard était là, qui avait eu le temps de quitter le
quai des Orfèvres et de traverser la rue, puis les bâtiments vides de la Préfecture de Police. Il était impo-
sant et portait un énorme pardessus. Pour dire bonjour à la ronde, il se contenta de toucher le bord de son
chapeau, saisit une chaise comme si c'était un fétu de
paille et s'installa dessus à califourchon.

— Le gosse ? questionna-t-il enfin en regardant
fixement Lecœur.

— Je me demande pourquoi il n'appelle plus.

— Appeler ?

— Pour quelle raison, sinon pour signaler sa présence, briser la vitre des avertisseurs ?

— Et pourquoi, se donnant la peine de les briser,
ne parle-t-il pas à l'appareil ?

— Supposons qu'il soit suivi ? Ou qu'il suive
quelqu'un ?

— J'y ai pensé. Dites donc, Lecœur, est-ce que votre
frère n'est pas dans une situation financière peu
brillante ?

— Il est pauvre, oui.

— Rien que pauvre ?

— Il a perdu sa place il y a trois mois.

— Quelle place ?

— Il était linotypiste à *La Presse*, rue du Croissant,
où il travaillait la nuit. Il a toujours travaillé de
nuit. On dirait que c'est dans la famille.

— Pour quelle raison a-t-il perdu sa place ?

— Probablement parce qu'il s'est disputé avec
quelqu'un.

— C'était son habitude ?

Un appel les interrompit. Cela venait du XVIIIᵉ
arrondissement, où on venait de ramasser un gamin
dans la rue, au coin de la rue Lepic. Il vendait des brins

de houx. C'était un petit Polonais qui ne parlait pas
un mot de français.

— Vous me demandiez si c'est son habitude de
se disputer ? Je ne sais comment vous répondre.
Mon frère a été malade la plus grande partie de sa vie.
Quand nous étions jeunes, il vivait presque toujours
dans sa chambre, tout seul, et lisait. Il a lu des tonnes de
livres. Mais il n'a jamais été régulièrement à l'école.

— Il est marié ?

— Sa femme est morte après deux ans de mariage
et il est resté seul avec un bébé de dix mois.

— C'est lui qui l'a élevé ?

— Oui. Je le vois encore lui donner son bain,
lui changer ses couches, préparer les biberons...

— Cela n'explique pas pourquoi il se disputait.

Évidemment ! Les mots n'avaient pas le même sens
dans la grosse tête du commissaire que dans celle de
Lecœur.

— Aigri ?

— Pas spécialement. Il avait l'habitude.

— L'habitude de quoi ?

— De ne pas vivre comme les autres. Peut-être
qu'Olivier — c'est le nom de mon frère — n'est pas
très intelligent. Peut-être qu'il en sait trop, par ses
lectures, sur certains sujets, et trop peu sur d'autres.

— Vous croyez qu'il aurait été capable de tuer la
vieille Fayet ?

Le commissaire tirait sur sa pipe. On entendait le
télégraphiste marcher, là-haut, et les deux autres,
dans la pièce, faisaient semblant de ne pas écouter.

— C'était sa belle-mère, soupira Lecœur. Vous
l'auriez quand même appris tôt ou tard.

— Il ne s'entendait pas avec elle ?

— Elle le haïssait.

— Pourquoi ?

— Parce qu'elle l'accusait d'avoir fait le malheur
de sa fille. Il y a eu une histoire d'opération qui n'a
pas été pratiquée à temps. Ce n'était pas la faute de
mon frère, mais celle de l'hôpital, qui refusait de la

recevoir parce que les papiers n'étaient pas en règle.
Malgré cela, la vieille en a toujours voulu à mon
frère.

— Ils ne se voyaient pas?

— Il devait leur arriver de se rencontrer dans
la rue, puisqu'ils habitent le même quartier.

— Le gamin savait?

— Que la mère Fayet était sa grand-mère? Je
ne crois pas.

— Son père ne le lui a pas dit?

Le regard de Lecœur ne quittait pas le plan aux
petites lampes, mais c'était l'heure creuse, elles s'allumaient rarement, et presque toujours, maintenant,
pour des accidents de la circulation. Il y eut aussi un
vol à la tire dans le métro et un vol de bagages à la
gare de l'Est.

Pas de nouvelles du gamin. Et pourtant les rues de
Paris restaient à moitié désertes. Quelques enfants,
dans les quartiers populeux, essayaient leurs nouveaux
jouets sur les trottoirs, mais la plupart des maisons
demeuraient closes et la chaleur des foyers mettait de
la buée sur les vitres. Les magasins avaient leurs
volets fermés et, dans les petits bars, on ne voyait que
de rares habitués.

Seules, partout au-dessus des toits, les cloches
sonnaient à la volée, et des familles endimanchées
pénétraient dans les églises d'où s'échappaient, par
vagues, des rumeurs de grandes orgues.

— Vous permettez un instant, monsieur le commissaire? Je pense toujours au gamin. Il est évident qu'il
lui est plus difficile, à présent, de briser des vitres sans
attirer l'attention. Mais peut-être pourrait-on jeter un
coup d'œil dans les églises? Dans un bar ou dans un
café, il ne passerait pas inaperçu. Dans une église, au
contraire...

Il appela à nouveau Justin.

— Les églises, vieux! Demande qu'on surveille
les églises. Et les gares. Je n'avais pas pensé aux
gares non plus.

Il retira ses lunettes et on vit ses paupières très rouges, peut-être parce qu'il n'avait pas dormi.

— Allô! Le Central, oui. Comment? Oui, le commissaire est ici.

Il passa un écouteur à Saillard.

— C'est Janvier qui veut vous parler.

La bise soufflait toujours, dehors, et la lumière restait froide et dure avec, pourtant, derrière les nuages unis, un jaunissement qui était comme une promesse de soleil.

Quand le commissaire raccrocha, ce fut pour grommeler :

— Le docteur Paul prétend que le crime a été commis entre cinq et six heures et demie du matin. La vieille n'a pas été assommée du premier coup. Elle devait être couchée quand elle a entendu du bruit. Elle s'est levée et a fait face à son agresseur, qu'elle a vraisemblablement frappé à l'aide d'un soulier.

— On n'a pas retrouvé l'arme?

— Non. On suppose qu'il s'agit d'un morceau de tuyau de plomb, ou d'un outil arrondi, peut-être un marteau.

— On a mis la main sur l'argent?

— Sur son porte-monnaie, qui contient de menus billets et sa carte d'identité. Dites donc, Lecœur, vous saviez que cette femme prêtait à la petite semaine?

— Je le savais.

— Ne m'avez-vous pas dit tout à l'heure que votre frère a perdu sa place il y a environ trois mois?

— C'est exact.

— La concierge l'ignorait.

— Son fils aussi. C'est à cause de son fils qu'il n'en a rien dit.

Le commissaire croisa et décroisa les jambes, mal à l'aise, regarda les deux autres qui ne pouvaient pas ne pas entendre. Il finit par fixer Lecœur avec l'air de ne pas comprendre.

— Est-ce que vous vous rendez compte, vieux, de ce que...?

— Je me rends compte.

— Vous y avez pensé?

— Non.

— Parce que c'est votre frère?

— Non.

— Il y a combien de temps que le tueur sévit? Neuf semaines, n'est-ce pas?

Lecœur consulta sans hâte son petit carnet, chercha une croix dans une colonne.

— Neuf semaines et demie. Le premier crime a eu lieu dans le quartier des Épinettes, à l'autre bout de Paris.

— Vous venez de dire que votre frère n'a pas avoué à son fils qu'il était en chômage. Il continuait donc à partir de chez lui et à y rentrer à la même heure? Pourquoi?

— Pour ne pas perdre la face.

— Comment?

— C'est difficile à expliquer. Ce n'est pas un père comme un autre. Il a entièrement élevé l'enfant. Ils vivent tous les deux. C'est comme un petit ménage, vous comprenez? Mon frère, dans la journée, prépare les repas, fait le ménage. Il met son fils au lit avant de s'en aller, le réveille en rentrant...

— Cela n'explique pas...

— Vous croyez que cet homme accepterait, vis-à-vis de son garçon, de passer pour un pauvre type devant qui toutes les portes se ferment parce qu'il est incapable de s'adapter?

— Et que faisait-il de ses nuits pendant les derniers mois?

— Il a eu pendant deux semaines une place de gardien dans une usine de Billancourt. Ce n'était qu'un remplacement. Le plus souvent, il lavait les voitures dans les garages. Quand il ne trouvait pas à s'embaucher, il coltinait des légumes aux Halles. Lorsqu'il avait sa crise...

— Sa crise de quoi?

— D'asthme... Cela le prenait de temps en temps...

Il allait se coucher dans une salle d'attente de gare...
Une fois, il est venu passer la nuit ici, à bavarder avec
moi...

— Supposons que le gamin, de bonne heure ce
matin, ait vu son père chez la vieille Fayet!

— Il y avait du givre sur les vitres.

— Pas si la fenêtre était entrouverte. Beaucoup
de gens, même en hiver, dorment la fenêtre ouverte.

— Ce n'est pas le cas chez mon frère. Il est frileux
et ils sont trop pauvres pour gaspiller la chaleur.

— L'enfant a pu gratter le givre avec ses ongles.
Quand j'étais petit, je...

— Moi aussi. Il faudrait savoir si on a trouvé la
fenêtre ouverte chez la vieille Fayet.

— La fenêtre était ouverte et la lampe allumée.

— Je me demande où François peut être.

— Le gamin?

C'était surprenant, un peu gênant, de ne le voir
penser qu'à l'enfant. C'était presque plus gênant
encore de l'entendre dire tranquillement sur son
frère des choses qui accablaient celui-ci.

— Quand il est rentré, ce matin, il avait les bras
chargés de paquets, y avez-vous pensé?

— C'est Noël.

— Il lui a fallu de l'argent pour acheter un poulet,
des gâteaux, un appareil de radio. Il n'est pas venu
vous en emprunter récemment?

— Pas depuis un mois. Je le regrette, car je lui
aurais dit de ne pas acheter de radio pour François.
J'en ai une, ici, au vestiaire, que je comptais lui
porter en quittant mon service.

— Est-ce que la mère Fayet aurait accepté de prêter
de l'argent à son gendre?

— C'est improbable. C'est une drôle de femme.
Elle doit avoir assez de fortune pour vivre et elle continue à faire des ménages du matin au soir. C'est elle,
souvent, qui prête de l'argent, à gros intérêt, à ceux
pour qui elle travaille. Tout le quartier est au courant.
On s'adresse à elle quand on a une fin de mois difficile.

Le commissaire se leva, toujours mal à l'aise.

— Je vais faire un tour là-bas, annonça-t-il.

— Chez la vieille ?

— Chez la vieille et rue Vasco-de-Gama. Si vous avez du nouveau, appelez-moi.

— Aucun des deux immeubles n'a le téléphone. Je chargerai le commissariat d'un message.

Le commissaire était dans l'escalier et la porte refermée quand la sonnerie tinta. Aucune lampe ne s'était allumée. C'était la gare d'Austerlitz qui appelait.

— Lecœur ? Ici, le commissaire spécial. Nous tenons le type.

— Quel type ?

— Celui dont on nous a lancé le signalement. Il s'appelle Lecœur, comme vous, Olivier Lecœur. J'ai vérifié sa carte d'identité.

— Un instant.

Il courut vers la porte, s'élança dans l'escalier et ce ne fut que dans la cour, près des cars de police, qu'il réussit à rejoindre Saillard au moment où celui-ci montait dans une petite auto de la Préfecture.

— La gare d'Austerlitz au bout du fil. Ils ont retrouvé mon frère.

Le commissaire, qui était gros, remonta l'escalier en soupirant, prit lui-même l'appareil.

— Allô ! oui... Où était-il ?... Qu'est-ce qu'il faisait ?... Qu'est-ce qu'il dit ?... Comment ?... Non, ce n'est pas la peine que vous l'interrogiez maintenant... Vous êtes sûr qu'il ne sait pas ?... Continuez à surveiller la gare... C'est fort possible... Quant à lui, envoyez-le-moi tout de suite...

Il hésita en regardant Lecœur.

— Accompagné, oui. C'est plus sûr.

Il prit le temps de bourrer sa pipe et de l'allumer avant d'expliquer, comme s'il ne s'adressait à personne en particulier :

— On l'a appréhendé alors qu'il rôdait depuis plus d'une heure dans les salles d'attente et sur les quais.

Il paraît très surexcité. Il parle d'un message de son fils. C'est lui qu'il attend là-bas.

— On lui a appris que la vieille est morte?

— Oui. Cela a semblé le terrifier. On l'amène.

Il ajouta, hésitant :

— J'ai préféré le faire venir ici. Étant donné votre parenté, je ne voulais pas que vous pensiez...

— Je vous remercie.

Lecœur était dans ce même bureau, sur la même chaise, depuis la veille à onze heures du soir, et c'était comme quand il se tenait, enfant, dans la cuisine de sa mère. Rien ne bougeait autour de lui. Des petites lampes s'allumaient, il enfonçait des fiches dans des trous, le temps coulait sans heurt, sans qu'on s'en aperçût, et pourtant, dehors, Paris avait vécu un Noël, des milliers de gens avaient assisté aux messes de minuit ; d'autres avaient bruyamment réveillonné dans les restaurants ; des ivrognes avaient passé la nuit au Dépôt, qui se réveillaient maintenant devant un commissaire ; des enfants, plus tard, s'étaient précipités vers l'arbre illuminé.

Qu'est-ce qu'Olivier, son frère, avait fait, pendant tout ce temps-là ? Une vieille femme était morte, un gamin, avant que le jour se levât, avait marché à en perdre le souffle dans des rues désertes et avait brisé de son poing enveloppé d'un mouchoir les glaces de plusieurs avertisseurs.

Qu'est-ce qu'Olivier attendait, nerveux, crispé, dans les salles d'attente surchauffées et sur les quais venteux de la gare d'Austerlitz ?

Moins de dix minutes s'écoulèrent, le temps, pour Godin, dont le nez coulait réellement, de se préparer un nouveau grog.

— Vous en voulez un, monsieur le commissaire ?

— Merci.

A voix basse, Saillard, gêné, soufflait à Lecœur :

— Vous voulez que nous allions l'interroger dans une autre pièce?

Mais Lecœur n'entendait pas quitter ses petites

lampes, ni ses fiches, qui le reliaient à tous les points de Paris. On montait. Ils étaient deux à encadrer Olivier, à qui on n'avait quand même pas passé les menottes.

C'était comme une mauvaise photographie d'André, estompée par le temps. Son regard, tout de suite, se portait vers son frère.

— François ?

— On ne sait pas encore. On cherche.

— Où ?

Et Lecœur ne pouvait que montrer le plan, son standard aux mille trous.

— Partout.

On avait déjà renvoyé les deux inspecteurs et le commissaire prononçait :

— Asseyez-vous. On vous a appris que la vieille Fayet est morte, n'est-ce pas ?

Olivier ne portait pas de lunettes, mais il avait les mêmes yeux pâles et fuyants que son frère lorsqu'il retirait ses verres, de sorte qu'il donnait toujours l'impression d'avoir pleuré. Il regarda un instant le commissaire, sans lui attribuer d'importance.

— Il m'a laissé un mot... dit-il en fouillant les poches de sa vieille gabardine. Tu comprends, toi ?...

Il finit par tendre un bout de papier, arraché à un cahier d'écolier. L'écriture n'était pas très régulière. Le gamin n'était probablement pas un des meilleurs élèves de sa classe. Il s'était servi d'un crayon violet dont il avait mouillé le bout, de sorte qu'il devait maintenant avoir une tache sur la lèvre.

L'oncle Gédéon arrive ce matin gare d'Austerlitz.
Viens vite nous y rejoindre. Baisers.

Bib.

Sans un mot, André Lecœur tendit le papier au commissaire qui le tourna plusieurs fois entre ses gros doigts.

— Pourquoi Bib ?

— C'est ainsi que je l'appelais dans l'intimité. Pas devant les gens, car cela l'aurait gêné. Cela vient de biberon, du temps où je lui donnais ses biberons.

Il parlait d'une voix neutre, sans accent, probablement sans rien voir autour de lui qu'une sorte de brouillard, où bougeaient des silhouettes.

— Qui est l'oncle Gédéon ?

— Il n'existe pas.

Savait-il seulement qu'il parlait au chef de la brigade des homicides, chargé d'une enquête criminelle ?

Son frère expliqua :

— Plus exactement, il n'existe plus. Un frère de notre mère, qui s'appelait Gédéon, est parti tout jeune pour l'Amérique.

Olivier le regardait avec l'air de dire :

— A quoi bon raconter tout ça ?

— On avait pris l'habitude, dans la famille, de dire en plaisantant :

« — Un jour, nous hériterons de l'oncle Gédéon. »

— Il était riche ?

— Nous n'en savions rien. Il ne donnait jamais de ses nouvelles. Juste une carte postale, au Nouvel An, signée : « Gédéon. »

— Il est mort ?

— Quand Bib avait quatre ans.

— Tu crois que c'est utile, André ?

— Nous cherchons. Laisse-moi faire. Mon frère a continué la tradition de la famille en parlant à son fils de l'oncle Gédéon. C'était devenu une sorte de personnage de légende. Tous les soirs, avant de s'endormir, l'enfant demandait une histoire de l'oncle Gédéon à qui on prêtait maintes aventures. Naturellement, il était fabuleusement riche, et, quand il reviendrait...

— Je crois que je comprends. Il est mort ?

— A l'hôpital. A Cleveland, où il lavait la vaisselle dans un restaurant. On ne l'a jamais dit au gamin. On a continué l'histoire.

— Il y croyait ?

Le père intervint, timidement. C'est tout juste s'il
ne levait pas le doigt comme à l'école.

— Mon frère prétend que non, que le petit avait
deviné, que ce n'était plus pour lui qu'un jeu. Moi,
au contraire, je suis à peu près sûr qu'il y croyait
toujours. Quand ses camarades lui ont raconté que le
Père Noël n'existait pas, il a continué pendant deux
ans à les contredire...

En parlant de son fils, il reprenait vie, se transfi-
gurant.

— Je ne parviens pas à comprendre pourquoi il
m'a écrit ce mot-là. J'ai demandé à la concierge si
un télégramme n'était pas arrivé. Un moment, j'ai
cru qu'André nous avait fait une farce. Pourquoi, à six
heures du matin, François a-t-il quitté notre logement en m'écrivant d'aller à la gare d'Austerlitz ? Je
m'y suis rendu comme un fou. J'ai cherché partout.
Je m'attendais toujours à le voir arriver. Dis, André,
tu es sûr que... ?

Il regardait le plan mural, le standard téléphonique.
Il savait que toutes les catastrophes, tous les accidents
de Paris aboutissaient fatalement ici.

— On ne l'a pas retrouvé, dit Lecœur. On cherche
toujours. Vers huit heures, il était dans le quartier
de l'Étoile.

— Comment le sais-tu ? On l'a vu ?

— C'est difficile à t'expliquer. Tout le long du
chemin, de chez toi à l'Arc de Triomphe, quelqu'un
a brisé les glaces des avertisseurs de Police-Secours.
Au pied du dernier, on a retrouvé un mouchoir d'enfant à carreaux bleus.

— Il avait des mouchoirs à carreaux bleus.

— Depuis huit heures, plus rien.

— Mais alors il faut que je retourne tout de suite
à la gare. C'est là qu'il ira fatalement, puisqu'il m'y
a donné rendez-vous.

Il s'étonna du silence qui s'appesantissait soudain
autour de lui, les regarda tour à tour, surpris, puis
inquiet.

— Qu'est-ce que...?

Son frère baissa la tête tandis que le commissaire toussotait, prononçait enfin d'une voix hésitante :

— Avez-vous rendu visite à votre belle-mère, cette nuit?

Peut-être, comme son frère l'avait laissé entendre, n'avait-il pas une intelligence tout à fait normale? Les mots prirent un long moment à atteindre son cerveau. Et on suivit en quelque sorte sur son visage les lents progrès de sa pensée.

Il cessa de regarder le commissaire et c'est vers son frère qu'il se tourna, soudain rouge, les yeux brillants, en criant :

— André! C'est toi qui as osé...?

Sans transition, sa fièvre tomba, il se pencha en avant sur sa chaise, se prit la tête à deux mains et se mit à pleurer à grands sanglots rauques.

CHAPITRE

3

LE COMMISSAIRE
Saillard, gêné, regarda André Lecœur, s'étonna de le
voir aussi calme, lui en voulut peut-être un peu de
ce qu'il dut prendre pour de l'indifférence. Peut-être
Saillard n'avait-il pas de frère? Lecœur avait l'expé-
rience du sien depuis sa petite enfance. Des crises
pareilles, il lui en avait vu piquer tout gamin et, en
l'occurrence, il était presque satisfait, car cela aurait
pu se passer plus mal ; au lieu des larmes, de cette
résignation accablée, de cette sorte d'hébétude, on
aurait pu être encombré d'un Olivier indigné, décla-
matoire, qui aurait lancé à chacun ses quatre vérités.

N'est-ce pas ainsi qu'il avait perdu la plupart de
ses emplois? Des semaines, des mois durant, il cour-
bait l'échine, remâchait son humiliation, se berçait de
sa propre douleur, puis soudain, alors qu'on s'y attendait le moins, presque toujours pour une raison futile,
pour un mot en l'air, un sourire, une contradiction
sans importance, il prenait feu.

— Que dois-je faire? questionnait le regard du
commissaire.

Et les yeux d'André Lecœur répondaient :

— Attendre...

Ce ne fut pas long. Les sanglots, comme ceux d'un enfant, perdaient de leur force, se mouraient presque, reprenaient pour un instant avec une intensité accrue. Puis Olivier reniflait, risquait un regard autour de lui, paraissait encore bouder un peu en se cachant le visage.

Enfin il se redressait, amer, résigné, prononçait non sans fierté :

— Posez vos questions, je répondrai.

— A quelle heure, cette nuit, êtes-vous allé chez la mère Fayet ? Un instant. Dites-moi d'abord à quelle heure vous avez quitté votre logement ?

— A huit heures, comme d'habitude, après avoir mis mon fils au lit.

— Il ne s'était rien passé d'inaccoutumé ?

— Non. Nous avions dîné tous les deux. Il m'avait aidé à faire la vaisselle.

— Vous aviez parlé de Noël ?

— Oui. Je lui avais laissé entendre qu'il aurait une surprise à son réveil.

— Il s'attendait à recevoir un poste de radio ?

— Il en désirait un depuis longtemps. Il ne joue pas dans la rue, n'a pas d'amis, passe tout son temps libre à la maison.

— Vous n'avez jamais pensé que votre fils sait peut-être que vous avez perdu votre place à *La Presse* ? Il ne lui est jamais arrivé de vous y téléphoner.

— Jamais. Quand je suis au travail, il dort.

— Personne n'a pu le lui dire ?

— Personne ne le sait dans le quartier.

— Il est observateur ?

— Rien de ce qui se passe autour de nous ne lui échappe.

— Vous l'avez mis au lit et vous êtes parti. Vous n'emportiez pas de casse-croûte avec vous ?

Le commissaire venait d'y penser en voyant Godin déballer un sandwich au jambon. Or Olivier Lecœur regarda soudain ses mains vides et murmura :

— Ma boîte!

— La boîte dans laquelle vous avez l'habitude d'emporter votre manger?

— Oui. Je l'avais hier au soir, j'en suis sûr. Il n'y a qu'un seul endroit où je peux l'avoir laissée...

— Chez la mère Fayet?

— Oui.

— Un moment... Lecœur, passez-moi le poste de Javel... Allô!... Qui est à l'appareil?... Janvier est là?... Appelez-le, voulez-vous?... C'est toi, Janvier?... Tu as fouillé le logement de la vieille? As-tu remarqué une boîte en fer contenant un casse-croûte?... Rien de semblable?... Tu es sûr?... J'aimerais mieux, oui... Rappelle-moi dès que tu auras vérifié... C'est important...

Et, se tournant vers Olivier :

— Votre fils dormait quand vous êtes parti?

— Il allait s'endormir. Nous nous sommes embrassés. J'ai commencé par marcher dans le quartier. Je suis allé jusqu'à la Seine et me suis assis sur le parapet, pour attendre.

— Attendre quoi?

— Que le gamin soit profondément endormi. De chez nous, on aperçoit les fenêtres de Mme Fayet.

— Vous aviez décidé de lui rendre visite?

— C'était le seul moyen. Je n'avais plus de quoi prendre le métro.

— Et votre frère?

Les deux Lecœur se regardèrent.

— Je lui ai demandé tant d'argent depuis quelque temps qu'il ne doit pas en avoir de reste.

— Vous avez sonné à la porte de l'immeuble? Quelle heure était-il?

— Un peu plus de neuf heures. La concierge m'a vu passer. Je ne me cachais pas, sauf de mon fils.

— Votre belle-mère n'était pas couchée?

— Non. Elle m'a ouvert et m'a dit :

« — Te voilà, crapule! »

— Vous saviez que, malgré cela, elle vous donnerait de l'argent?

— J'en étais à peu près sûr.

— Pour quelle raison?

— Il me suffisait de lui promettre un gros bénéfice. Elle ne pouvait pas résister. Je lui ai signé un papier reconnaissant que je lui devais le double de la somme.

— Remboursable quand?

— Dans quinze jours.

— Et comment, à l'échéance, auriez-vous remboursé?

— Je ne sais pas. Je me serais arrangé. Je voulais que mon fils eût son Noël.

André Lecœur avait envie d'interrompre son frère pour dire au commissaire, étonné :

— Il a toujours été comme ça.

— Vous avez obtenu facilement ce que vous vouliez?

— Non. Nous avons discuté longtemps.

— Combien de temps environ?

— Une demi-heure. Elle m'a rappelé que je n'étais qu'un bon à rien, que je n'avais apporté que de la misère à sa fille et que c'était ma faute si elle était morte. Je n'ai pas répondu. Je voulais l'argent.

— Vous ne l'avez pas menacée?

Il rougit, baissa la tête, balbutia :

— Je lui ai dit que, si je n'avais pas l'argent, je me tuerais.

— Vous l'auriez fait?

— Je ne crois pas. Je ne sais pas. J'étais très fatigué, très découragé.

— Et une fois en possession de la somme?

— Je suis allé à pied jusqu'à la station de Beaugrenelle, où j'ai pris le métro. J'en suis descendu au Palais Royal et je suis entré aux grands Magasins du Louvre. Il y a avait beaucoup de monde. On faisait la queue devant les rayons.

— Quelle heure était-il?

— Peut-être onze heures. Je n'étais pas pressé.

Je savais que le magasin ne fermerait pas de la nuit. Il faisait chaud. Il y avait un train électrique qui fonctionnait.

Son frère adressa un léger sourire au commissaire.

— Vous ne vous êtes pas aperçu que vous aviez égaré la boîte contenant votre casse-croûte ?

— Je ne pensais qu'au Noël de Bib.

— En somme, vous étiez très excité d'avoir de l'argent en poche ?

Le commissaire ne comprenait pas si mal. Il n'avait pas eu besoin de connaître Olivier tout enfant. Autant il pouvait être déprimé, falot, les épaules rentrées, rasant les murs, quand il avait les poches vides, autant il devenait confiant, voire inconscient, dès qu'il sentait quelques billets sur lui.

— Vous m'avez dit que vous avez signé un papier à votre belle-mère. Qu'en a-t-elle fait ?

— Elle l'a glissé dans un vieux portefeuille qu'elle avait toujours sur elle, dans une poche qu'elle portait accrochée à sa ceinture, sous sa jupe.

— Vous connaissiez ce portefeuille ?

— Oui. Tout le monde le connaît.

Le commissaire se tourna vers André Lecœur.

— On ne l'a pas retrouvé.

Puis, à Olivier :

— Vous avez acheté la radio, puis le poulet, le gâteau. Où ?

— Rue Montmartre, dans une maison que je connais, à côté d'un marchand de chaussures.

— Qu'avez-vous fait le reste de la nuit ? Quelle heure était-il lorsque vous avez quitté le magasin de la rue Montmartre ?

— Il allait être minuit. La foule sortait des théâtres et des cinémas et se précipitait dans les restaurants. Il y avait des bandes très gaies, beaucoup de couples.

Son frère, à cette heure-là, était déjà ici, devant son standard.

— Je me trouvais sur les Grands Boulevards, à

hauteur du Crédit Lyonnais, avec mes paquets à la main, lorsque les cloches se sont mises à sonner. Les gens, dans la rue, se sont embrassés.

Pourquoi Saillard éprouva-t-il le besoin de poser une question saugrenue, cruelle :

— Personne ne vous a embrassé ?

— Non.

— Vous saviez où vous alliez ?

— Oui. Il existe au coin du boulevard des Italiens un cinéma permanent qui reste ouvert toute la nuit.

— Vous y étiez déjà allé ?

Un peu gêné, il répondit en évitant de regarder son frère :

— Deux ou trois fois. Ce n'est pas plus cher qu'une tasse de café dans un bar et on peut rester aussi longtemps qu'on veut. Il fait chaud. Certains y viennent pour dormir.

— Quand avez-vous décidé de finir la nuit au cinéma ?

— Dès que j'ai touché l'argent.

Et l'autre Lecœur, l'homme calme et minutieux du standard, avait envie d'expliquer au commissaire :

— Voyez-vous, les pauvres types ne sont pas aussi malheureux qu'on le pense. Sinon, ils ne tiendraient pas le coup. Ils ont leur univers, eux aussi, et, dans les recoins de cet univers, un certain nombre de petites joies.

Il reconnaissait si bien son frère qui, parce qu'il avait emprunté quelques billets — et comment les rendrait-il jamais, Seigneur ? — avait oublié ses peines, n'avait pensé qu'au bonheur de son fils à son réveil, puis, quand même, s'était offert personnellement une petite récompense !

Il était allé au cinéma, tout seul, tandis que des familles étaient réunies autour de tables bien garnies, que la foule dansait dans les boîtes de nuit, que d'autres s'exaltaient l'âme dans la pénombre d'une église où dansait la flamme des cierges.

En somme, il avait eu son Noël à lui, un Noël à sa pointure.

— A quelle heure avez-vous quitté le cinéma ?

— Un peu avant six heures, pour prendre le métro.

— Quel film avez-vous vu ?

— *Cœurs ardents*. On donnait également un documentaire sur la vie des Esquimaux.

— Vous n'avez vu le spectacle qu'une fois ?

— Deux fois, sauf les actualités, qu'on projetait à nouveau quand je suis parti.

André Lecœur savait que ce serait vérifié, ne fût-ce que par routine. Mais ce ne fut pas nécessaire. Son frère fouillait ses poches, en retirait un bout de carton déchiré, son ticket de cinéma, et en même temps un autre carton rose.

— Tenez ! Voici aussi mon ticket de métro.

Il portait l'heure, la date, le timbre de la station Opéra où il avait été pris.

Olivier n'avait pas menti. Il ne pouvait pas s'être trouvé, entre cinq heures et six heures et demie du matin, dans la chambre de la vieille Fayet.

Il y avait maintenant une petite flamme de défi dans son regard, avec une pointe de mépris. Il semblait leur dire, y compris à son frère :

— Parce que je suis un pauvre type, vous m'avez soupçonné. C'est la règle. Je ne vous en veux pas.

Et, chose curieuse, on eut l'impression, soudain, qu'il faisait plus froid dans la grande pièce où un des employés discutait au téléphone avec un commissariat de banlieue, au sujet d'une auto volée.

Cela tenait probablement à ce que, la question Lecœur réglée, toutes les pensées se condensaient à nouveau sur l'enfant. C'était si vrai qu'instinctivement les regards se portaient sur le plan de Paris où, depuis un bon moment, les lampes avaient cessé de s'éclairer.

C'était l'heure creuse. Un autre jour, il y aurait eu, de temps en temps, un accident de la circulation, surtout des vieilles femmes renversées aux carrefours animés de Montmartre et des quartiers surpeuplés.

Aujourd'hui, les rues restaient presque vides, comme au mois d'août, quand la plupart des Parisiens sont à la campagne ou à la mer.

Il était onze heures et demie. Il y avait plus de trois heures qu'on ne savait rien du gamin, qu'on n'avait reçu de lui aucun signe.

— Allô! oui... J'écoute, Janvier... Tu dis qu'il n'y a pas de boîtes dans le logement?... Bon... C'est toi qui as fouillé les vêtements de la morte?... Gonesse l'avait fait avant toi?... Tu es sûr qu'elle ne portait pas un vieux portefeuille sous sa jupe? On t'en a parlé?... La concierge a vu monter quelqu'un hier soir, vers neuf heures et demie?... Je sais qui c'est... Et après? Il y a eu des allées et venues dans la maison toute la nuit... Évidemment... Veux-tu faire un saut à la maison?... Celle de derrière, oui... Je voudrais savoir s'il y a eu du bruit au cours de la nuit, particulièrement au troisième étage... Tu m'appelleras, c'est ça...

Il se tourna vers le père qui se tenait immobile sur sa chaise, aussi humble, à nouveau, que dans une salle d'attente de médecin.

— Vous comprenez le pourquoi de ma question?... Est-ce que votre fils à l'habitude de se réveiller au cours de la nuit?

— Il lui arrive d'être somnambule.

— Il se lève, se met à marcher?

— Non. Il s'assied dans son lit et il crie. C'est toujours la même chose. Il croit que la maison est en feu. Il a les yeux ouverts, mais ne voit rien. Puis, peu à peu, son regard devient normal et il se recouche avec un profond soupir. Le lendemain, il ne s'en souvient pas.

— Il est toujours endormi quand vous rentrez le matin?

— Pas toujours. Mais, même s'il ne dort pas, il fait semblant de dormir pour que j'aille l'éveiller en l'embrassant et en lui tirant le nez. C'est un geste affectueux, vous comprenez?

— Il est probable que les voisins ont été plus

bruyants que d'habitude, la nuit dernière. Qui habite
sur le même palier que vous ?

— Un Tchèque qui travaille à l'usine d'automobiles.

— Il est marié ?

— Je ne sais pas. Il y a tant de gens dans l'immeuble, et les locataires changent si souvent, qu'on
les connaît mal. Le samedi, le Tchèque a l'habitude
de réunir une demi-douzaine d'amis pour boire et
pour chanter des chansons de son pays.

— Janvier va nous téléphoner s'il en a été ainsi
hier. Si oui, cela a pu éveiller votre fils. De toute façon,
l'attente d'une surprise que vous lui aviez promise a
dû le rendre nerveux. S'il s'est relevé, il est possible qu'il
soit allé machinalement à la fenêtre et qu'il vous ait vu
chez la vieille Fayet. Il ne se doutait pas qu'elle était
votre belle-mère ?

— Non. Il ne l'aimait pas. Il l'appelait la punaise.
Il la croisait souvent dans la rue et prétendait qu'elle
sentait la punaise écrasée.

L'enfant devait s'y connaître, car les bestioles ne
manquaient sans doute pas dans la grande baraque
qu'ils habitaient.

— Cela l'aurait étonné de vous voir chez elle ?

— Sûrement.

— Il savait qu'elle prêtait de l'argent à la petite
semaine ?

— Tout le monde le savait.

Le commissaire se tourna vers l'autre Lecœur.

— Vous croyez qu'il y a quelqu'un à *La Presse*
aujourd'hui ?

Ce fut l'ancien typographe qui répondit.

— Il y a toujours quelqu'un.

— Téléphonez-leur donc. Essayez de savoir si on
ne s'est jamais informé d'Olivier Lecœur.

Celui-ci détourna la tête une fois de plus. Avant que
son frère eût ouvert l'annuaire, il dit le numéro de
l'imprimerie.

Pendant le coup de téléphone, on ne pouvait rien

faire que se regarder, puis que regarder ces petites lampes qui s'obstinaient à ne plus s'allumer.

— C'est très important, mademoiselle. Cela peut être une question de vie ou de mort... Mais oui !... Donnez-vous la peine, je vous en prie, de questionner tous ceux qui se trouvent là-bas en ce moment... Comment dites-vous ? Je n'y peux rien ! C'est Noël pour moi aussi et pourtant je vous téléphone...

Il grommela entre ses dents :

— Petite garce !

Et ils attendirent à nouveau, cependant qu'on entendait dans l'appareil le cliquetis des linotypes.

— Allô !... Comment ?... Il y a trois semaines ? Un enfant, oui...

Le père était devenu tout pâle et regardait fixement ses mains.

— Il n'a pas téléphoné ? Il est venu lui-même ? Vers quelle heure ? Un jeudi ? Ensuite ?... Il a demandé si Olivier Lecœur travaillait à l'imprimerie... Comment ?... Qu'est-ce qu'on lui a répondu ?...

Son frère, levant les yeux, le vit rougir, raccrocher d'un geste rageur.

— Ton fils est allé, un jeudi après-midi... Il devait se douter de quelque chose... On lui a répondu que tu ne travailles plus à *La Presse* depuis plusieurs semaines.

A quoi bon répéter les termes qu'il venait d'entendre ? Ce qu'on avait dit au gamin, c'était :

— « Il y a un bout de temps qu'on a flanqué cet idiot-là à la porte ! »

Peut-être pas par cruauté. Sans doute n'avait-on pas pensé que c'était le fils qui était là.

— Tu commences à comprendre, Olivier ?

Celui-ci, chaque soir, s'en allait en emportant ses tartines, en parlant de son atelier de la rue du Croissant, et le gamin savait qu'il mentait.

Ne fallait-il pas en conclure aussi qu'il savait la vérité sur le fameux oncle Gédéon ?

Il avait joué le jeu.

— Et moi qui lui ai promis sa radio...

Ils n'osaient presque plus parler, parce que les mots risquaient d'évoquer des images effrayantes.

Même ceux qui n'étaient jamais allés rue Vasco-de-Gama imaginaient maintenant le logement pauvre, le gamin de dix ans qui y passait seul de longues heures, cet étrange ménage du père et du fils qui, par peur de se faire du mal, se mentaient mutuellement.

Il aurait fallu pouvoir évoquer les choses avec une âme d'enfant : son père s'en allait après s'être penché sur son lit pour le baiser au front, et c'était Noël partout, les voisins buvaient et chantaient leurs chansons à gorge déployée.

« — Demain matin, tu auras une surprise. »

Cela ne pouvait être que la radio convoitée et Bib en connaissait le prix.

Savait-il, ce soir-là, que le portefeuille de son père était vide ?

L'homme s'en allait, comme pour son travail, et ce travail n'existait pas.

Le gamin avait-il cherché à s'endormir ? En face de sa chambre, de l'autre côté de la cour, se dressait un immense pan de mur avec les trous clairs des fenêtres, et de la vie bariolée derrière ses fenêtres.

Ne s'était-il pas accoudé, en chemise, pour regarder ?

Son père, qui n'avait pas d'argent, allait lui acheter une radio.

Le commissaire soupira en frappant sa pipe sur son talon et en la vidant à même le plancher :

— Il est plus que probable qu'il vous a vu chez la vieille.

— Oui.

— Je vérifierai un fait tout à l'heure. Vous habitez le troisième étage et elle habitait l'entresol. Il est vraisemblable que seule une partie de la chambre est visible de vos fenêtres.

— C'est exact.

— Votre fils aurait-il pu vous voir sortir ?

— Non ! La porte est au fond de la pièce.

— Vous vous êtes approché de la fenêtre ?

— Je m'y suis assis, sur le rebord.

— Un détail, qui peut avoir son importance. Cette fenêtre était-elle entrouverte ?

— Elle l'était. Je me souviens que cela me faisait comme une barre froide dans le dos. Ma belle-mère a toujours dormi la fenêtre ouverte, hiver comme été. C'était une femme de la campagne. Elle a vécu un certain temps avec nous, tout de suite après notre mariage.

Le commissaire se tourna vers l'homme du standard.

— Vous y aviez pensé, Lecœur ?

— Au givre sur la vitre ? J'y pense depuis ce matin. Si la fenêtre était entrouverte, la différence entre la température extérieure et la température intérieure n'était pas assez forte pour produire du givre.

Un appel. La fiche s'enfonçait dans un des trous.

— Oui... Vous dites ?... Un gamin ?...

Ils étaient tendus, autour de lui, à le regarder.

— Oui... Oui... Comment ?... Mais oui, mettez tous les agents cyclistes à fouiller le quartier... Je m'occupe de la gare... Il y a combien de temps de cela ?... Une demi-heure ?... Il n'aurait pas pu prévenir plus tôt ?...

Sans prendre le temps de donner des explications autour de lui, Lecœur plantait sa fiche dans un autre trou.

— La gare du Nord ?... Qui est à l'appareil ?... C'est toi, Lambert ?... Écoute, c'est très urgent... Fais fouiller sérieusement la gare... Qu'on surveille tous les locaux, toutes les voies... Demande aux employés s'ils n'ont pas vu un gamin d'une dizaine d'années rôder autour des guichets, n'importe où... Comment ?... S'il est accompagné ?... Peu importe... C'est fort possible... Vite !... Tiens-moi au courant... Bien sûr, mets-lui la main dessus...

— Accompagné ? répéta son frère avec ahurissement.

— Pourquoi pas ? Tout est possible. Il ne s'agit peut-être pas de lui, mais, si c'est lui, nous avons une demi-heure de retard... C'est un épicier, rue de Mau-

beuge, à hauteur de la gare du Nord, qui a un comptoir
en plein vent... Il a vu un gamin prendre deux oranges
à l'étalage et s'enfuir... Il n'a pas couru après... Un
bon moment plus tard, seulement, un sergent de ville
se trouvant à proximité, il lui a signalé le fait, par
acquit de conscience...

— Votre fils avait de l'argent en poche ? questionna
le commissaire. Non ? Pas du tout ? Il ne possédait pas
de tirelire ?

— Il en avait une. Mais je lui ai pris le peu qu'elle
contenait voici deux jours, en prétextant que je ne
voulais pas changer un gros billet.

Quelle importance, maintenant, prenaient ces
détails !

— Vous ne croyez pas que je ferais mieux d'aller
moi-même voir à la gare du Nord ?

— Je pense que ce serait inutile et nous pouvons
avoir besoin de vous ici.

Ils étaient un peu comme prisonniers de cette pièce,
du grand tableau aux lumières, du standard qui les
reliait à tous les points de Paris. Quoi qu'il arrivât,
c'était ici qu'on en aurait la première nouvelle. Le
commissaire le savait si bien qu'il ne regagnait pas son
bureau et qu'il s'était enfin décidé à quitter son gros
pardessus, comme s'il faisait maintenant partie du
Central.

— Il n'a donc pu prendre ni le métro ni un autobus.
Il n'a pas pu non plus entrer dans un café ou dans une
cabine publique pour téléphoner. Il n'a pas mangé
depuis six heures du matin.

— Mais qu'est-ce qu'il fait ? s'écria le père en rede-
venant fiévreux. Et pourquoi m'a-t-il envoyé à la gare
d'Austerlitz ?

— Sans doute pour vous aider à fuir, dit Saillard
à mi-voix.

— A fuir, moi ?

— Écoutez, mon ami...

Le commissaire oubliait que c'était le frère de l'inspecteur Lecœur et lui parlait comme à un « client ».

— Le gosse sait que vous êtes sans place, au bout de votre rouleau, et cependant vous lui promettez un Noël somptueux...

— Ma mère aussi se privait pendant des mois pour notre Noël...

— Je ne vous adresse pas de reproches. Je constate un fait. Il s'accoude à la fenêtre et vous voit chez une vieille chipie qui prête de l'argent à la petite semaine. Qu'est-ce qu'il en conclut?

— Je comprends.

— Il se dit que vous êtes allé emprunter. Bon. Peut-être est-il attendri, ou triste, je n'en sais rien. Il se recouche, se rendort.

— Vous croyez?

— C'est à peu près sûr. S'il avait découvert, à neuf heures et demie du soir, ce qu'il a découvert à six heures du matin, il ne serait pas resté tranquillement dans sa chambre.

— Je comprends.

— Il se rendort. Peut-être pense-t-il davantage à sa radio qu'à la démarche que vous avez dû faire pour vous procurer l'argent. Vous-même, n'êtes-vous pas allé au cinéma? Il a un sommeil fébrile, comme tous les enfants la nuit de Noël. Il s'éveille plus tôt que d'habitude, alors qu'il fait noir, et la première chose qu'il découvre c'est qu'il y a des fleurs de givre sur les vitres. N'oubliez pas que c'est le premier givre de l'hiver. Il a voulu voir de près, toucher...

L'autre Lecœur, celui des fiches, celui des petites croix dans le calepin, eut un léger sourire, en constatant que le gros commissaire n'était pas si loin de son enfance qu'on aurait pu le penser.

— Il a gratté avec ses ongles...

— Comme j'ai vu Biguet le faire ce matin ici même, intervint André Lecœur.

— Nous en aurons la preuve, si c'est nécessaire, par l'identité judiciaire, car, une fois le givre fondu, on doit retrouver les empreintes des doigts. Qu'est-ce qui frappe aussitôt l'enfant? Alors que tout est sombre dans le quartier, une fenêtre est éclairée, une seule, et c'est justement celle de la chambre où il a vu son père pour la dernière fois. Je ferai contrôler ces détails, Je jurerais, cependant, qu'il a aperçu le corps, en tout ou en partie. N'aurait-il vu que les pieds sur le plancher que, joint au fait que la chambre était éclairée, cela aurait suffi.

— Il a cru?... commença Olivier, les yeux écarquillés.

— Il a cru que vous l'aviez tuée, oui, comme je n'ai pas été loin de le croire. Réfléchissez, Lecœur. L'homme qui tue, depuis plusieurs semaines, dans les quartiers les plus éloignés de Paris, est un homme qui vit la nuit, comme vous. C'est sans doute quelqu'un qui a subi un choc sérieux, comme vous, car on ne se met pas à tuer sans raison du jour au lendemain. L'enfant sait-il ce que vous faisiez, toutes les nuits, depuis que vous avez perdu votre place?

» Vous nous avez dit tout à l'heure que vous étiez assis sur le rebord de la fenêtre. Où avez-vous posé votre boîte à sandwiches?

— Sur l'appui, j'en suis presque sûr...

— Il l'a donc vue... Et il ignorait l'heure à laquelle vous avez quitté votre belle-mère... Il ne savait pas si, après votre départ, elle était encore vivante... Dans son esprit, la lumière n'a pas dû s'éteindre de la nuit...

» Qu'est-ce qui vous aurait frappé le plus, à sa place?

— La boîte...

— Exactement. La boîte qui allait permettre à la police de vous identifier. Votre nom est-il dessus?

— Je l'ai écrit au canif.

— Vous voyez! Votre fils a supposé que vous alliez revenir à votre heure habituelle, autrement dit entre sept et huit heures. Il ne savait pas s'il réussirait dans son entreprise. Il préférait de toute façon ne pas revenir à la maison. Il s'agissait de vous éloigner du danger.

— C'est pour cela qu'il m'a laissé un billet?

— Il s'est souvenu de l'oncle Gédéon. Il vous a écrit

que celui-ci arrivait à la gare d'Austerlitz. Il savait que vous iriez, même si l'oncle Gédéon n'existait pas. Le texte ne pouvait en aucune façon vous compromettre...

— Il a dix ans et demi! protesta le père.

— Si vous croyez qu'un gamin de dix ans et demi en sait moins que vous sur ces questions-là! Il ne lit pas d'histoires policières?

— Oui...

— Peut-être, s'il désire tant une radio, est-ce moins pour la musique ou les émissions théâtrales que pour les feuilletons policiers...

— C'est vrai.

— Il fallait, avant tout, reprendre la boîte compromettante. Il connaissait bien la cour. Il a dû y jouer souvent.

— Il y a passé des journées et des journées, avec la fille de la concierge.

— Il savait donc qu'il pouvait utiliser le tuyau de gouttière. Peut-être y a-t-il grimpé auparavant.

— Et maintenant? questionna Olivier avec un calme impressionnant. Il a repris la boîte, soit. Il est sorti de la maison de ma belle-mère sans difficulté, car la porte d'entrée s'ouvre de l'intérieur sans qu'il soit nécessaire d'appeler la concierge. Vous dites qu'il devait être un peu plus de six heures du matin.

— Je comprends, grommela le commissaire. Même sans se presser, il lui aurait fallu moins de deux heures pour se rendre à la gare d'Austerlitz où il vous a donné rendez-vous. Or il n'y est pas allé.

Indifférent à ces dissertations, l'autre Lecœur enfonçait sa fiche, soupirait :

— Encore rien, vieux?

Et on lui répondait, de la gare du Nord :

— Nous avons déjà interrogé une vingtaine de personnes qui accompagnaient des enfants, mais aucun ne répond au signalement donné.

N'importe quel gosse, évidemment, pouvait avoir volé des oranges à un étalage. Mais n'importe quel gosse n'aurait pas défoncé coup sur coup sept vitres d'appareils de police-secours. Lecœur en revenait toujours à ses petites croix. Il ne s'était jamais cru beaucoup plus malin que son frère, mais il avait pour lui la patience et l'obstination.

— Je suis sûr, dit-il, qu'on retrouvera la boîte aux sandwiches dans la Seine, près du pont Mirabeau.

Des pas dans l'escalier. Les jours ordinaires on n'y prêtait pas attention. Un matin de Noël, on tendait malgré soi l'oreille.

C'était un agent cycliste qui apportait le mouchoir taché de sang trouvé près de la septième borne. On le tendit au père.

— C'est bien à Bib.

— Donc, il est suivi, affirma le commissaire. S'il n'était pas suivi, s'il en avait le temps, il ne se contenterait pas de briser des vitres. Il parlerait.

— Pardon, fit Olivier, qui était le seul à n'avoir pas encore compris. Suivi par quoi ? Et pourquoi appelle-t-il la police ?

On hésitait à le mettre au courant, à lui ouvrir les yeux. Ce fut son frère qui s'en chargea.

— Parce que si, en allant chez la vieille Fayet, il était persuadé que tu étais le meurtrier, en sortant de la maison il ne le croyait plus. *Il savait.*

— Il savait quoi ?

— Il savait *qui* ! Comprends-tu maintenant ? Il a découvert quelque chose, nous ignorons quoi, et c'est ce que nous cherchons depuis des heures. Seulement, on ne lui laisse pas la possibilité de nous le faire savoir.

— Tu veux dire... ?

— Je veux dire que ton fils est derrière l'assassin ou que l'assassin est derrière lui. L'un suit l'autre, je ne sais pas lequel, et n'entend pas le lâcher. Dites donc, monsieur le commissaire, est-ce qu'il y a eu une prime d'annoncée ?

— Une grosse prime, après le troisième meurtre. Elle a été doublée la semaine dernière. Tous les journaux en ont parlé.

— Alors, dit André Lecœur, ce n'est pas néces-

sairement Bib qui est suivi. C'est peut-être lui qui suit.
Seulement, dans ce cas...

Il était midi et il y avait quatre heures que l'enfant
n'avait plus donné signe de vie, sauf si c'était lui le
petit voleur des deux oranges, rue de Maubeuge.

CHAPITRE

4

PEUT-ÊTRE, APRÈS tout, son jour était-il arrivé ? André Lecœur avait lu quelque part que tout être, si terne, si infortuné soit-il, une fois dans sa vie, tout au moins, connaît une heure d'éclat, pendant laquelle il lui est donné de se réaliser.

Il n'avait jamais eu une haute opinion de lui-même, ni de ses possibilités. Quand on lui demandait pourquoi il avait choisi un poste sédentaire et monotone au lieu de s'inscrire, par exemple, à la brigade des homicides, il répondait :

— Je suis tellement paresseux !

Parfois, il ajoutait :

— Peut-être aussi ai-je peur des coups ?

Ce n'était pas vrai. Mais il savait qu'il avait l'esprit lent.

Tout ce qu'il avait appris à l'école lui avait coûté un long effort. Les examens de police, que d'autres passent en se jouant, lui avaient donné beaucoup de mal.

Était-ce à cause de cette connaissance de lui-même qu'il ne s'était pas marié ? Peut-être. Il lui semblait

que, quelle que fût la femme qu'il choisirait, il se sentirait inférieur et se laisserait dominer.

Il ne pensait pas à tout cela, aujourd'hui. Il ignorait
encore que son heure approchait peut-être — si heure
il y avait.

Une nouvelle équipe, toute fraîche, endimanchée,
celle-ci, une équipe qui avait eu le temps de fêter
Noël en famille, venait de remplacer celle du matin
et il y avait comme un fumet de gâteaux et d'alcools
fins dans les haleines.

Le vieux Bedeau avait pris sa place devant le
standard, mais Lecœur n'était pas parti, avait dit
simplement :

— Je reste encore un peu.

Le commissaire Saillard était allé déjeuner en hâte
à la Brasserie Dauphine, à deux pas, en recommandant
qu'on l'appelle s'il y avait du nouveau. Janvier avait
regagné le quai des Orfèvres, où il était en train de
rédiger son rapport.

Lecœur n'avait pas envie d'aller se coucher. Il
n'avait pas sommeil. Il lui était arrivé de passer trente-
six heures à son poste, lors des émeutes de la place de
la Concorde, et une autre fois, pendant les grèves
générales, les hommes du Central avaient campé dans
le bureau pendant quatre jours et quatre nuits.

Son frère était le plus impatient.

— Je veux aller chercher Bib, avait-il déclaré.

— Où ?

— Je ne sais pas. Du côté de la gare du Nord.

— Et si ce n'est pas lui qui a volé les oranges ?
S'il est dans un tout autre quartier ? Si, dans quelques
minutes ou dans deux heures, nous avons de ses nouvelles ?

— Je voudrais faire quelque chose.

On l'avait assis sur une chaise, dans un coin, car
il refusait de s'étendre. Il avait les paupières rouges
de fatigue et d'angoisse et il commençait à tirer sur
ses doigts comme quand, enfant, on le mettait dans
le coin.

André Lecœur, par discipline, avait essayé de se reposer. Il y avait, attenant à la grande pièce, une sorte de cagibi avec un lavabo, deux lits de camp et un portemanteau où, parfois, les nuiteux, pendant une accalmie, allaient faire un somme.

Lecœur avait fermé les yeux. Puis sa main avait saisi, dans sa poche, le calepin qui ne le quittait jamais, et, couché sur le dos, il s'était mis à en tourner les pages.

Il n'y avait que des croix, des colonnes de croix minuscules que, des années durant, il s'était obstiné à tracer sans y être obligé, sans savoir au juste à quoi cela pourrait servir un jour. Des gens tiennent leur journal. D'autres, c'est un compte de leurs moindres dépenses, ou de leurs pertes au bridge.

Ces croix-là, dans des colonnes étroites, représentaient des années de la vie nocturne de Paris.

— Café, Lecœur?

— S'il vous plaît.

Mais, comme il se sentait trop loin, dans ce cagibi d'où il ne voyait pas le tableau aux lumières, il tira le lit de camp dans le bureau, but son café et, dès lors, passa son temps à consulter les croix de son carnet et à fermer les yeux. Parfois, entre ses cils mi-clos, il observait son frère tassé sur sa chaise, les épaules basses, la tête pendante, avec, seulement, comme signe de son drame intérieur, les crispations convulsives de ses longs doigts pâles.

Ils étaient des centaines, maintenant, non seulement à Paris, mais dans la banlieue, à avoir reçu le signalement de l'enfant. De temps en temps naissait un espoir. Un commissariat appelait, mais il s'agissait d'une petite fille, ou d'un garçon trop jeune ou trop vieux.

Lecœur fermait à nouveau les yeux et soudain il les rouvrit, comme s'il venait de s'assoupir, regarda l'heure, chercha le commissaire autour de lui.

— Saillard n'est pas revenu?

— Il est sans doute passé par le quai des Orfèvres.

Olivier le regarda, surpris de le voir arpenter la vaste pièce, et Lecœur remarquait à peine que le soleil, dehors, avait fini par percer le dôme blanc des nuages, que Paris, par cette après-midi de Noël, était tout clair, comme printanier.

Ce qu'il guettait, c'était les pas dans l'escalier.

— Tu devrais aller acheter quelques sandwiches, dit-il à son frère.

— A quoi ?

— Au jambon. Peu importe. Ce que tu trouveras.

Olivier quittait le bureau après un regard au tableau des lumières, soulagé, malgré son angoisse, d'aller respirer l'air un moment.

Ceux qui avaient remplacé l'équipe du matin ne savaient presque rien, sinon qu'il s'agissait du tueur, et qu'il y avait quelque part dans Paris un petit garçon en danger. L'événement, pour eux qui n'avaient pas passé la nuit ici, n'avait pas la même couleur, était comme décanté, réduit à quelques données précises et froides. Le vieux Bedeau, à la place de Lecœur, faisait des mots croisés, le casque d'écoute sur la tête, s'interrompant à peine pour le traditionnel :

— Allô ! Austerlitz ? Votre car est sorti ?...

Une noyée qu'on venait de repêcher dans la Seine. Cela aussi faisait partie de la tradition de Noël.

— Je voudrais vous parler un moment, monsieur le commissaire.

Le lit de camp avait repris sa place dans le cagibi et c'était là que Lecœur entraînait le chef de la brigade des homicides. Le commissaire fumait sa pipe, retirait son pardessus, regardait son interlocuteur avec une certaine surprise.

— Je vous demande pardon de me mêler de ce qui ne me regarde pas, c'est au sujet du tueur...

Il avait son petit carnet à la main, mais on aurait dit qu'il le connaissait par cœur et qu'il ne le consultait que par contenance.

— Excusez-moi si je vous dis en désordre ce que

j'ai en tête, mais j'y pense tellement depuis ce matin
que...

Tout à l'heure, quand il était couché, cela paraissait si net à son esprit que c'en était éblouissant. Maintenant, il cherchait ses mots, ses idées, qui devenaient
moins précises.

— Voilà! J'ai d'abord remarqué que les huit crimes
ont été commis après deux heures du matin et, la
plupart, après trois heures...

Au visage du commissaire, il comprit que cette con-
statation n'avait pour les autres rien de particulièrement troublant.

— J'ai eu la curiosité de chercher l'heure de la
majorité des crimes de ce genre, depuis trois ans.
C'est presque toujours entre dix heures du soir et
deux heures du matin.

Il devait faire fausse route, car il n'obtenait aucune
réaction. Pourquoi ne pas dire franchement comment
son idée lui était venue? Ce n'était pas le moment de
se laisser arrêter par des pudeurs.

— Tout à l'heure, en regardant mon frère, j'ai
pensé que l'homme que vous cherchez doit être un
homme comme lui. Un moment, même, je me suis
demandé si ce n'était pas lui. Attendez...

Il se sentait sur la bonne voie. Il avait vu les yeux
du commissaire exprimer autre chose qu'une attention polie, un peu ennuyée.

— Si j'en avais eu le temps, j'aurais mis mes idées
en ordre. Mais vous allez voir... Un homme qui tue
huit fois, presque coup sur coup, est un maniaque,
n'est-ce pas?... C'est un être qui, du jour au lendemain, pour une raison quelconque, a eu le cerveau
troublé...

» Mon frère a perdu sa place et, pour ne pas l'avouer
à son fils, pour ne pas déchoir à ses yeux, a continué
pendant des semaines à sortir de chez lui à la même
heure, à se comporter exactement comme s'il travaillait... »

L'idée, traduite en mots, en phrases, perdait de

sa force. Il sentait bien que, malgré un effort évident, Saillard ne parvenait pas à voir là une lueur.

— Un homme à qui, soudain, on reprend tout ce qu'il avait, tout ce qui constituait sa vie...

— Et qui devient fou ?

— Je ne sais pas s'il est fou. Peut-être que cela s'appelle ainsi. Quelqu'un qui se croit des raisons de haïr le monde entier, d'avoir une revanche à prendre sur les hommes...

» Vous savez bien, monsieur le commissaire, que les autres, les vrais assassins, tuent toujours de la même façon.

» Celui-ci s'est servi du couteau, d'un marteau, d'une clef anglaise. Il a étranglé une des femmes.

» Et nulle part il ne s'est laissé voir. Nulle part il n'a laissé de traces. Où qu'il habite, il a dû parcourir des kilomètres dans Paris à une heure où il n'y a ni autobus ni métro. Or, bien que la police soit en alerte depuis les premiers crimes, bien qu'elle dévisage les passants et interpelle tous les suspects, il ne s'est pas fait une seule fois remarquer. »

Il avait envie, tant il se sentait enfin sur la bonne voie, tant il avait peur qu'on se lasse de son discours, de murmurer :

— Écoutez-moi jusqu'au bout, je vous en supplie...

Le cagibi était exigu et il marchait, trois pas dans chaque sens, devant le commissaire assis au bord du lit de camp.

— Ce ne sont pas des raisonnements, croyez-moi. Je ne suis pas capable de raisonnements extraordinaires. Mais ce sont mes petites croix, ce sont les faits que j'ai enregistrés...

» Ce matin, par exemple, il a traversé la moitié de Paris sans passer devant un poste de police, sans traverser un carrefour surveillé.

— Vous voulez dire qu'il connaît le XVe arrondissement à fond ?

— Pas seulement le XVe, mais deux autres arrondissements pour le moins, si on en juge d'après les

précédents crimes : le XX⁹ et le XII⁹. Il n'a pas choisi
ses victimes au hasard. Pour toutes, il savait que
c'étaient des solitaires, vivant dans des conditions
telles qu'il pouvait les attaquer à peu de risques.

Il faillit se décourager en entendant la voix morne
de son frère.

— Les sandwiches, André !

— Oui. Merci. Manges-en. Va t'asseoir...

Il n'osait pas fermer la porte, par une sorte d'humi-
lité. Il n'était pas un personnage assez important
pour s'enfermer avec le commissaire.

— S'il a chaque fois changé d'arme, c'est qu'il
sait que cela déroutera les esprits, donc il *sait* que
les assassins, en général, s'en tiennent à une seule
méthode.

— Dites donc, Lecœur...

Le commissaire venait de se lever et regardait
l'inspecteur avec des yeux vagues, comme s'il suivait
à présent sa propre pensée.

— Vous voulez dire que... ?

— Je ne sais pas. Mais l'idée m'est venue que c'était
peut-être quelqu'un de chez nous. Quelqu'un, en tout
cas, qui a travaillé chez nous.

Il baissa la voix.

— Quelqu'un à qui il serait arrivé la même chose
qu'à mon frère, vous comprenez ? Un pompier con-
gédié aura assez facilement l'idée d'allumer des
incendies. C'est arrivé deux fois en trois ans. Quelqu'un de la police...

— Mais pourquoi voler ?

— Mon frère, lui aussi, avait besoin d'argent,
pour faire croire à son fils qu'il continuait à gagner
sa vie, qu'il travaillait toujours à *La Presse*. Si c'est
un nuiteux et qu'il laisse croire à quelqu'un qu'il
est toujours en fonction, il est fatalement dehors
toute la nuit et cela explique qu'il commette ses
crimes après trois heures du matin. Il en a jusqu'au
jour à attendre de rentrer chez lui. Les premières

heures sont faciles. Il y a des cafés, des bars ouverts. Après, il est seul dans les rues...

Saillard grogna comme pour lui-même :

— Il n'y a personne aujourd'hui à la direction du personnel.

— Peut-être pourrait-on toucher le directeur chez lui ? Peut-être se souvient-il ?

Lecœur n'avait pas fini. Il y avait encore maintes choses qu'il aurait voulu dire et qui lui échappaient. Peut-être tout cela n'était-il qu'un jeu de son esprit ? Cela lui apparaissait comme tel par moment, mais, à d'autres, il lui semblait qu'il était arrivé à une lumineuse évidence.

— Allô ! Pourrais-je parler à M. Guillaume, s'il vous plaît ? Il n'est pas chez lui ? Vous ne savez pas où j'ai des chances de le trouver ? Chez sa fille, à Auteuil ? Vous savez son numéro de téléphone ?

Ceux-là aussi avaient fait un bon déjeuner en famille et devaient siroter leur café avec des liqueurs.

— Allô ! monsieur Guillaume ? Ici, Saillard, oui. J'espère que je ne vous dérange pas trop. Vous n'étiez plus à table ? C'est au sujet du tueur. Il y a du nouveau. Rien de précis encore. Je voudrais vérifier une hypothèse et c'est urgent. Ne vous étonnez pas trop de ma question. Un membre du personnel de la police, à un échelon quelconque, a-t-il été révoqué au cours des derniers mois ? Vous dites ? Pas un seul cette année ?

Lecœur sentit sa poitrine se serrer comme si une catastrophe fondait sur lui et jeta un regard lamentable au plan de Paris. Il avait perdu la partie. Dès maintenant, il renonçait, s'étonnant de voir son chef insister.

— C'est peut-être plus ancien, je ne sais pas. Il s'agirait d'un nuiteux qui aurait travaillé dans plusieurs arrondissements, entre autres le XVe, le XXe et le XIIe. Quelqu'un que son renvoi aurait considérablement aigri. Comment ?

La voix de Saillard prononçant ce dernier mot

rendit l'espoir à Lecœur, tandis qu'autour d'eux les autres ne comprenaient rien à cet entretien.

— Le brigadier Loubet? En effet, j'en ai entendu parler, mais je ne faisais pas encore partie du conseil de discipline à cette époque-là. Trois ans, oui. Vous ne savez pas où il habitait? Quelque part du côté des Halles?

Mais, trois ans, cela ne tenait plus, et Lecœur était découragé à nouveau. Il était improbable qu'un homme gardât trois ans son humiliation et sa haine sur le cœur avant d'agir.

— Vous ne savez pas ce qu'il est devenu? Évidemment. Oui. Ce sera difficile aujourd'hui...

Il raccrocha et regarda Lecœur avec attention, lui parla comme il aurait parlé à un égal.

— Vous avez entendu? Il y a eu le brigadier Loubet qui a reçu toute une série d'avertissements et a été changé trois ou quatre fois de commissariat avant d'être révoqué. Il a très mal pris la chose. Il buvait. Guillaume croit qu'il est entré dans une agence de police privée. Si vous voulez essayer...

Lecœur le fit sans conviction, mais c'était encore agir au lieu d'attendre devant le fameux plan. Il commença par les agences les plus louches, se doutant qu'un homme comme Loubet n'aurait pas été embauché dans une entreprise sérieuse. La plupart des bureaux étaient fermés. Il appelait les gens chez eux.

Souvent il entendait des voix d'enfants.

— Connais pas. Voyez chez Tisserand, boulevard Saint-Martin. C'est lui qui ramasse toute la racaille.

Mais ce n'était pas chez Tisserand non plus, qui se spécialisait dans les filatures. Pendant trois quarts d'heure, Lecœur occupa le même téléphone pour entendre enfin quelqu'un grogner avec colère :

— Ne me parlez pas de cette crapule-là. Il y a plus de deux mois que je l'ai flanqué à la porte et, bien qu'il ait menacé de me faire chanter, il n'a pas bougé le petit doigt. Si je le rencontre, je lui envoie mon poing dans la figure.

— Qu'est-ce qu'il faisait chez vous?

— Surveillance des immeubles, la nuit.

André Lecœur se transfigurait à nouveau.

— Il buvait beaucoup?

— C'est-à-dire qu'il était ivre après une heure à peine de service. Je ne sais pas comment il s'y prenait, mais il s'arrangeait pour se faire servir à boire gratuitement.

— Vous avez son adresse exacte?

— 27 *bis*, rue du Pas-de-la-Mule.

— Il a le téléphone?

— C'est possible. Je n'ai aucune envie de lui téléphoner. C'est tout? Je peux continuer mon bridge?

On entendit l'homme qui, en raccrochant, expliquait à ses amis.

Le commissaire avait déjà saisi un annuaire et y avait trouvé le nom de Loubet. Il appelait le numéro. Il y avait maintenant, entre lui et André Lecœur, comme une entente tacite. Ils partageaient le même espoir. Au moment de toucher au but, ils avaient le même tremblement au bout des doigts tandis que l'autre Lecœur, Olivier, sentait bien qu'il se passait quelque chose d'important, s'était levé et les regardait tour à tour.

Sans y être invité, André Lecœur eut un geste que, le matin encore, il n'aurait jamais cru pouvoir se permettre : il saisit le second écouteur. On entendit la sonnerie, là-bas, dans l'appartement de la rue du Pas-de-la-Mule ; elle sonna longtemps, comme dans le vide, et la poitrine de Lecœur recommençait à se serrer quand on décrocha.

Dieu soit loué! c'était une voix de femme, de vieille femme déjà, qui prononçait :

— C'est toi, enfin? Où es-tu?

— Allô! madame, ce n'est pas votre mari qui parle.

— Il lui est arrivé un malheur ?

On aurait dit, à l'entendre, que cette idée lui faisait plaisir, qu'elle attendait depuis longtemps cette nouvelle-là.

— C'est bien Mme Loubet qui est à l'appareil ?

— Qui serait-ce ?

— Votre mari n'est pas chez vous ?

— D'abord, qui parle ?

— Le commissaire Saillard...

— Pourquoi avez-vous besoin de lui ?

Le commissaire mit un instant la main sur le micro, dit tout bas à Lecœur :

— Téléphonez à Janvier de courir tout de suite là-bas.

Un commissariat appela au même moment, de sorte qu'il y avait à la fois trois appareils en fonction dans la pièce.

— Votre mari n'est pas rentré ce matin ?

— Si la police était bien faite, vous le sauriez.

— Cela lui arrive souvent ?

— Cela le regarde, n'est-ce pas ?

Elle détestait probablement son ivrogne de mari, mais, du moment qu'on l'attaquait, elle se rangeait de son côté.

— Vous savez qu'il ne fait plus partie de l'administration.

— Sans doute qu'il n'est pas assez crapule pour ça !

— Quand a-t-il cessé de travailler pour l'agence Argus ?

— Hein ?... Un moment, s'il vous plaît... Qu'est-ce que vous dites ?... Vous essayez de me tirer les vers du nez, n'est-ce pas ?

— Je regrette, madame. Il y a plus de deux mois que votre mari a été mis à la porte de l'agence.

— Vous mentez.

— Autrement dit, depuis deux mois, il s'en allait chaque soir à son travail ?

— Où serait-il allé ? Aux Folies-Bergère ?

— Pourquoi n'est-il pas rentré ce matin ? Il ne vous a pas téléphoné ?

Elle eut probablement peur d'être prise de court, car elle choisit le parti de raccrocher.

Quand le commissaire raccrocha à son tour et se retourna, il vit André Lecœur, debout derrière lui, qui prononçait en détournant la tête :

— Janvier est parti là-bas...

Et, du doigt, il effaçait, au coin de sa paupière, une trace d'humidité.

5

ON LE TRAITAIT
d'égal à égal. Il savait que cela ne durerait pas, que
demain il ne serait plus qu'un employé assez terne
à son standard, un maniaque traçant des petites croix
dans un carnet inutile.

Les autres ne comptaient pas. On ne s'occupait
même pas de son frère, qui les regardait tour à tour
avec des yeux de lapin, les écoutait sans comprendre,
se demandait pourquoi, alors qu'il s'agissait de la
vie de son fils, on parlait tant au lieu d'agir.

Deux fois il était venu tirer André par la manche.

— Laisse-moi aller chercher... suppliait-il.

Chercher où ? Chercher qui ? Le signalement de
l'ex-brigadier Loubet était déjà transmis à tous les
commissariats, à toutes les gares, à toutes les patrouilles.

On ne cherchait plus seulement un enfant, mais
un homme de cinquante-huit ans, probablement
ivre, qui connaissait son Paris et la police parisienne
sur le bout des doigts, qui était vêtu d'un pardessus
noir à col de velours et coiffé d'un vieux feutre gris.

Janvier était revenu, plus frais que les autres.

Tous ceux qui arrivaient en avaient pour un bon moment à être entourés comme d'une aura de fraîcheur apportée du dehors. Puis peu à peu ils étaient enveloppés par la grisaille ambiante dans laquelle on avait l'air de vivre au ralenti.

— Elle a essayé de me fermer la porte au nez, mais j'avais eu soin d'avancer le pied. Elle ne sait rien. Elle prétend qu'il lui a rapporté sa paye les derniers mois comme d'habitude.

— C'est bien pour cela qu'il était obligé de voler. Il n'avait pas besoin de grosses sommes, il n'aurait su qu'en faire. Comment est-elle ?

— Petite, noiraude, avec des yeux très vifs et des cheveux teints, presque bleus. Elle doit avoir de l'eczéma ou des boutons sur la peau, car elle porte des mitaines !

— Tu as une photo de lui ?

— Je l'ai prise presque de force, sur le buffet de la salle à manger. La femme ne voulait pas.

Un homme épais et sanguin, aux yeux à fleur de peau, qui avait dû être dans sa jeunesse le coq de son village et qui en avait gardé un air de stupide arrogance. Encore la photo était-elle vieille de plu, sieurs années. Aujourd'hui, Loubet devait être déchu-ses chairs fondues, avec quelque chose de sournois au lieu de son assurance.

— Tu n'as pas pu savoir quels endroits il fréquente ?

— A ce que j'ai compris, elle le tient serré, sauf la nuit, quand il est, ou qu'elle le suppose, à son travail. J'ai questionné la concierge. Il a très peur de sa femme. Souvent, le matin, la concierge le voit arriver zigzaguant, mais il se redresse dès qu'il pose la main sur la rampe de l'escalier. Il fait le marché avec sa femme, ne sort, de jour, qu'en sa compagnie. Quand il dort et qu'elle a des courses à faire, elle l'enferme et emporte la clef.

— Qu'est-ce que vous en pensez, Lecœur ?

— Je me demande si mon neveu et lui sont ensemble.

— Que voulez-vous dire?

— Ils n'étaient pas ensemble, au début, vers six heures et demie du matin, car Loubet aurait empêché le gamin de briser la glace des avertisseurs. Une certaine distance les séparait. L'un des deux suivait l'autre...

— Lequel, à votre avis?

C'était déroutant d'être écouté de la sorte, comme s'il était devenu de but en blanc une sorte d'oracle. Jamais il ne s'était senti aussi humble de sa vie, tant il avait peur de se tromper.

— Quand le gamin a grimpé le long du tuyau de gouttière, il croyait son père coupable, puisqu'il l'envoyait, à l'aide du billet et de la fable de l'oncle Gédéon, à la gare d'Austerlitz, où il comptait sans doute le rejoindre après avoir fait disparaître la boîte à tartines.

— Cela paraît probable...

— Bib n'a pas pu croire... essaya de protester Olivier.

— Tais-toi!... A ce moment-là, le crime venait d'être commis. L'enfant n'aurait pas tenté son escalade s'il n'avait aperçu le cadavre...

— Il l'a vu, affirma Janvier. De sa fenêtre, il pouvait découvrir le corps depuis les pieds jusqu'à mi-cuisse.

— Ce que nous ne savons pas, c'est si l'homme était encore dans la chambre.

— Non! dit le commissaire à son tour. Non, s'il y avait été, il se serait tenu caché pendant que le gamin entrait par la fenêtre et aurait supprimé ce témoin dangereux comme il venait de supprimer la vieille.

Il fallait arriver à comprendre, pourtant, à reconstituer les moindres détails si on voulait retrouver le jeune Lecœur, que deux postes de radio au lieu d'un attendaient pour son Noël.

— Dis-moi, Olivier, quand tu es rentré chez toi ce matin, est-ce que la lumière était allumée?

— Elle l'était.

— Dans la chambre du petit?

— Oui. Cela m'a donné un choc. J'ai cru qu'il était malade.

— Donc, le tueur a pu voir la lumière. Il a craint d'avoir eu un témoin. Il n'a certainement pas pensé que quelqu'un allait s'introduire dans la chambre en grimpant par la gouttière. Il est sorti précipitamment de la maison.

— Et il a attendu dehors pour savoir ce qui allait se passer.

C'était tout ce que l'on pouvait faire : des suppositions. En essayant de suivre la logique humaine autant que possible. Le reste, c'était l'affaire des patrouilles, des centaines d'agents éparpillés dans Paris, du hasard enfin.

— Plutôt que de repartir par le même chemin, l'enfant est sorti de la maison de la vieille par la porte...

— Un instant, monsieur le commissaire. A ce moment-là, il savait probablement que son père n'était pas le meurtrier.

— Pourquoi ?

— J'ai entendu dire tout à l'heure, je crois que c'est par Janvier, que la vieille Fayet avait perdu beaucoup de sang. Si le crime venait d'être commis, ce sang n'était pas encore sec, le corps restait chaud. Or c'est le soir, vers neuf heures, que Bib avait vu son père dans la chambre...

A chaque évidence nouvelle, on avait un nouvel espoir. On sentait qu'on avançait. Le reste paraissait plus facile. Parfois les deux hommes ouvraient la bouche en même temps, frappés par une pensée identique.

— C'est en sortant que le gamin a découvert l'homme, Loubet ou un autre, Loubet probablement. Et celui-ci ne pouvait pas savoir si on avait vu son visage. L'enfant, pris de peur, s'est précipité droit devant lui...

Cette fois, ce fut le père qui intervint. Il dit non, expliqua d'une voix monotone :

— Pas si Bib savait qu'il y avait une grosse récompense. Pas s'il savait que j'ai perdu ma place. Pas s'il m'a vu chez ma belle-mère emprunter de l'argent...

Le commissaire et André se regardèrent et, parce qu'ils sentaient que l'autre Lecœur avait raison, ils eurent peur, en même temps.

Cela devenait presque hallucinant. Un bout de rue déserte, dans un des quartiers les plus désolés de Paris, et c'était encore la nuit, il y en avait pour deux heures avant que le jour se levât.

D'une part un homme, un obsédé, qui venait de tuer pour la huitième fois en quelques semaines, par haine, par dépit, par besoin aussi, peut-être pour se prouver Dieu sait quoi à lui-même, un homme qui mettait son dernier orgueil à défier l'univers entier à travers la police.

Était-il ivre, comme à son ordinaire ? Sans doute, une nuit de Noël, où les bars sont ouverts jusqu'au matin, avait-il bu plus encore que de coutume et voyait-il le monde à travers ses gros yeux d'ivrogne ; il voyait, dans cette rue, dans ce désert de pierre, entre des façades aveugles, un enfant, un gamin qui savait, qui allait le faire prendre, mettre fin à ses délirantes entreprises.

— Je voudrais savoir s'il avait un revolver, soupira le commissaire.

Il n'eut pas à attendre la réponse. Elle vint tout de suite, de Janvier.

— J'ai posé la question à sa femme. Il portait toujours un automatique, mais qui n'était pas chargé.

— Pourquoi ?

— Sa femme avait peur de lui. Quand il était dans un certain état, au lieu de courber la tête, il lui arrivait de la menacer. Elle avait enfermé les cartouches, prétendant qu'en cas de besoin l'arme suffirait à faire peur sans qu'il fût besoin de tirer.

Est-ce qu'ils avaient vraiment, le vieux dément et l'enfant, joué, dans les rues de Paris, au chat et à la souris ? L'ancien policier ne pouvait espérer gagner à la course un gamin de dix ans. L'enfant, de son côté, était incapable de maîtriser un homme de cette corpulence.

Or cet homme-là, pour lui, représentait une fortune, la fin de leurs misères. Son père n'aurait plus à errer la nuit dans la ville pour faire croire qu'il travaillait toujours rue du Croissant, ni de coltiner des légumes aux Halles, ni enfin de venir s'humilier devant une vieille Fayet pour obtenir un prêt remboursement improbable.

Il n'était plus nécessaire de parler beaucoup. On regardait le plan, le nom des rues. Sans doute l'enfant se tenait-il à distance prudente du meurtrier et sans doute aussi, pour l'effrayer, celui-ci avait-il montré son arme.

Il y avait, dans les alvéoles de toutes les maisons de la ville, des milliers de gens qui dormaient, qui ne pouvaient leur être utiles ni à l'un ni à l'autre.

Loubet ne pouvait rester éternellement dans la rue, à guetter l'enfant qui gardait prudemment sa distance, et il s'était mis à marcher, en évitant les rues dangereuses, la lanterne bleue des commissariats, les carrefours surveillés.

Dans deux heures, dans trois heures, il y aurait des passants sur les trottoirs et le gamin, sans doute, se précipiterait sur le premier d'entre eux en appelant au secours.

— C'est Loubet qui marchait le premier, dit lentement le commissaire.

— Et mon neveu, à cause de moi, parce que je lui ai expliqué le fonctionnement de police-secours, a brisé les vitres, ajouta André Lecœur.

Les petites croix prenaient vie. Ce qui, au début, avait été un mystère, devenait presque simple, mais tragique.

Le plus tragique, peut-être, c'était cette question de gros sous, c'était la prime pour laquelle un gosse de dix ans s'imposait ces transes et risquait sa peau.

Le père s'était mis à pleurer, doucement, sans hoquets, sans sanglots, et il ne pensait pas à cacher ses larmes. Il n'avait plus de nerfs, plus de réactions. Il était entouré d'objets étrangers, d'instruments barbares, d'hommes qui parlaient de lui comme s'il était un autre, comme s'il n'était pas présent, et son frère était parmi ces hommes, un frère qu'il reconnaissait à peine et qu'il regardait avec un involontaire respect.

Les phrases devenaient plus courtes, parce que Lecœur et le commissaire se comprenaient à mi-mot.

— Loubet ne pouvait pas rentrer chez lui.

— Ni pénétrer dans un bar avec l'enfant sur ses talons.

André Lecœur, soudain, souriait malgré lui.

— L'homme n'a pas imaginé que le gamin n'avait pas un centime en poche et qu'il aurait pu lui échapper en prenant le métro.

Mais non! Cela ne tenait pas. Bib l'avait vu, donnerait de lui un signalement précis.

Le Trocadéro. Le quartier de l'Étoile. Du temps s'était écoulé. Il faisait presque jour. Des gens sortaient des maisons. On entendait des pas sur les trottoirs.

Il n'était plus possible, sans arme, de tuer un enfant dans la rue sans attirer l'attention.

— D'une façon ou d'une autre, ils se sont rejoints, décida le commissaire avec l'air de se secouer, comme après un cauchemar.

Au même moment une lampe s'allumait. Comme s'il savait que cela concernait l'affaire, Lecœur répondait à la place de son collègue.

— Oui... Je m'en doutais... Merci...

Il expliqua :

— C'est au sujet des deux oranges. On vient de trouver un jeune Nord-Africain endormi dans la salle d'attente des troisièmes classes, à la Gare du Nord. Il avait encore une des oranges en poche. Il s'est enfui ce matin de chez lui, dans le XVIIIe, parce qu'on l'avait battu.

— Tu crois que Bib est mort?

Olivier Lecœur tirait sur ses doigts à les briser.

— S'il était mort, Loubet serait rentré chez lui, car, en somme, il n'aurait plus rien à craindre.

La lutte continuait donc, dans un Paris enfin ensoleillé, où des familles promenaient leurs enfants endimanchés.

— Sans doute, dans la foule, craignant de perdre la piste, Bib s'est-il rapproché...

Il fallait que Loubet ait pu lui parler, le menacer de son arme.

« — Si tu appelles, je tire... »

Et ainsi chacun d'eux poursuivait-il son but : se débarrasser du gosse, pour l'un, en l'entraînant dans un endroit désert où le meurtre serait possible ; donner l'alarme, pour l'autre, sans que son compagnon eût le temps de tirer.

Chacun se méfiait de l'autre. Chacun jouait sa vie.

— Loubet ne s'est certainement pas dirigé vers le centre de la ville, où les agents sont trop nombreux. D'autant que la plupart d'entre eux le connaissent.

De l'Étoile, ils avaient dû remonter vers le Montmartre, non des boîtes de nuit, mais des petites gens, vers des rues mornes qui, un jour comme celui-ci, avaient leur visage le plus provincial.

Il était deux heures et demie. Est-ce qu'ils avaient mangé ? Est-ce que Loubet, malgré la menace qui pesait sur lui, avait pu rester si longtemps sans boire ?

— Dites-moi, monsieur le commissaire...

André Lecœur avait beau faire, il n'arrivait pas à parler avec assurance, il gardait l'impression d'usurper une fonction qui n'était pas la sienne.

— Il y a des centaines de petits bars à Paris, je le sais. Mais, en commençant par les quartiers les plus probables, et en y mettant beaucoup de monde...

Non seulement ceux qui étaient là s'y attelèrent, mais Saillard alerta le quai des Orfèvres, où six inspecteurs de service s'installèrent chacun devant un téléphone.

— Allô ! *Le Bar des Amis* ? Est-ce que vous n'avez pas vu, depuis ce matin, un homme d'un certain âge, en pardessus noir, accompagné d'un gamin d'une dizaine d'années ?

Lecœur traçait à nouveau des croix, non plus dans son carnet, mais dans le Bottin. Celui-ci comportait dix pages de bars aux noms plus ou moins pittoresques. Quelques-uns étaient fermés. Dans d'autres on entendait de la musique.

Sur un plan qu'on avait déplié sur la table, on marquait les rues au crayon bleu, au fur et à mesure, et c'est derrière la place Clichy, dans une sorte de passage assez mal famé, qu'on put inscrire la première marque en rouge.

— Il y a eu un type comme ça vers midi. Il a bu trois calvados et a commandé un vin blanc pour le petit. Celui-ci ne voulait pas le boire. Il l'a bu quand même et a mangé deux œufs durs...

A voir le visage d'Olivier Lecœur, on aurait pu croire qu'il venait d'entendre la voix de son fils.

— Vous ne savez pas où ils sont allés ?

— Vers les Batignolles... L'homme en avait déjà dans les voiles...

Le père, lui aussi, aurait bien voulu saisir un appareil téléphonique, mais il n'y en avait plus de disponible et il allait de l'un à l'autre, les sourcils froncés.

— Allô ! Le *Zanzi Bar* ? Est-ce que vous avez vu, depuis ce matin... ?

C'était une ritournelle et, quand un des hommes cessait de la prononcer, un autre la reprenait au bout de la pièce.

Rue Damrémont. Tout en haut de Montmartre. A une heure et demie ; ses mouvements devenaient maladroits, l'homme avait cassé un verre. Le gamin avait fait mine de se diriger vers l'urinoir et son compagnon l'avait suivi. Alors, le gosse y avait renoncé, comme s'il avait peur.

— Un drôle de type. Il ricanait tout le temps, de l'air d'un qui fait une bonne blague.

— Tu entends, Olivier ? Bib était toujours là, il y a une heure quarante...

André Lecœur, à présent, avait peur de dire ce qu'il pensait. La lutte touchait à sa fin. Du moment que Loubet avait commencé à boire, il continuerait jusqu'au bout. Était-ce une chance pour l'enfant ?

D'une façon, oui, si celui-ci avait la patience d'attendre et ne risquait pas une démarche inutile.

Mais s'il se trompait, s'il croyait son compagnon plus ivre qu'il n'était réellement, si...

Le regard d'André Lecœur tomba sur son frère et il eut la vision de ce qu'Olivier aurait été si, par miracle, son asthme ne l'avait empêché de boire.

— Oui... Vous dites ?... Boulevard Ney ?

On en arrivait aux limites de Paris, et cela indiquait que l'ancien policier n'était pas aussi ivre qu'il le paraissait. Il allait son petit bonhomme de chemin, emmenait peu à peu l'enfant, d'une façon quasi insensible, en dehors de la ville, vers les terrains vagues de la banlieue.

Trois cars de police étaient déjà partis pour ce quartier. On y envoyait tous les agents cyclistes disponibles. Janvier lui-même s'élança dans la petite auto du commissaire et on eut toutes les peines du monde à empêcher le père de l'accompagner.

— Puisque je te dis que c'est ici que tu auras les premières nouvelles...

Personne n'avait le temps de préparer du café. On était surexcité malgré soi. On finissait par parler nerveusement, du bout des dents.

— Allô ! L'*Orient Bar* ? Allô ! Qui est à l'appareil ?...

C'était André Lecœur qui parlait, qui se levait, l'écouteur à l'oreille, faisait de drôles de signes et, pour un peu, se serait mis à trépigner.

— Comment ?... Pas si près de l'appareil...

Alors, les autres entendaient résonner une voix aiguë, comme une voix de femme.

— Qui que ce soit, prévenez la police que... Allô !... Prévenez la police que je le tiens... le tueur... Allô !... Comment ?... Oncle André ?...

La voix baissait d'un ton, devenait angoissée.

— Je vous dis que je tire... Oncle André !...

Lecœur ne sut pas qui prenait le récepteur à sa place. Il avait bondi dans l'escalier. Il défonçait presque la porte du bureau du télégraphiste.

— Vite !... L'*Orient Bar*, porte de Clignancourt... Tous les hommes disponibles...

Il n'attendait pas d'entendre l'appel, descendait en sautant les marches quatre à quatre, s'arrêtait sur le seuil du grand bureau, stupéfait de voir tout le monde immobile, comme détendu.

C'était Saillard qui tenait le récepteur dans lequel une voix disait, grasse et faubourienne :

— Ça va !... Vous rongez pas les sangs... Je lui ai flanqué une bouteille sur la tête... Il a son compte... Je ne sais pas ce qu'il voulait au gamin, mais.... Comment ?... Vous désirez lui parler ?... Viens ici, petit... Donne-moi ton pétard... Je n'aime pas beaucoup ces joujoux-là... Mais, dis donc, il n'est pas chargé...

Une autre voix.

— C'est vous, oncle André ?

Le commissaire, l'écouteur à la main, regarda autour de lui et ce ne fut pas à André Lecœur, mais à Olivier qu'il le tendit.

— Oncle André ?... Je l'ai !... Le tueur !... J'ai la pri...

— Allô ! Bib...

— Hein ?

— Allô ! Bib, c'est...

— Qu'est-ce que tu fais là, papa ?

— Rien... J'attendais... Je...

— Je suis content, tu sais... Attends... Voilà des agents cyclistes qui arrivent... Ils veulent me parler... Une auto s'arrête...

Des bruits confus, des voix enchevêtrées, des heurts de verres. Olivier Lecœur tenait gauchement l'appareil en regardant la carte, peut-être sans la voir. C'était très loin, là-haut, tout au nord de la ville, un vaste carrefour balayé par le vent.

— Je pars avec eux...

Une autre voix.

— C'est vous, patron? Ici, Janvier...

On aurait pu croire que c'était Olivier Lecœur qui avait reçu le coup de bouteille sur la tête, à la façon dont il tendit l'appareil dans le vide.

— Il est complètement schlass... patron. Quand le gosse a entendu la sonnerie du téléphone, il a compris que c'était sa chance : il est parvenu à saisir le revolver dans la poche de Loubet et il a bondi... Grâce au patron, un dur, qui a assommé l'homme sans hésiter...

Une petite lampe s'allumait au tableau, celle du quartier Clignancourt. Passant la main par-dessus l'épaule de son collègue, André Lecœur poussait la fiche dans un trou.

— Allô! Votre car vient de sortir?...

— Quelqu'un a défoncé la vitre de l'avertisseur, place Clignancourt, pour nous annoncer qu'il y a du vilain dans un bar... Allô!... Je vous rappelle?

Inutile, cette fois.

Pas besoin non plus de tracer une petite croix dans le calepin.

Un gosse, tout fier, traversait Paris dans une voiture de police.

Septembre 1950
Shadow Rock Farm
Lakeville
(Connecticut)

LE PETIT RESTAURANT DES TERNES

DES TERNES

Conte de Noël pour grandes personnes.

1

L'HORLOGE ENCA-
drée de noir, que les habitués avaient toujours connue
à la même place, au-dessus des casiers à serviettes,
marquait neuf heures moins quatre minutes. Le calen-
drier-réclame, derrière la caisse, un peu au-dessus de
la tête de la caissière, Mᵐᵉ Bouchet, indiquait le 24 décembre.

Dehors, il pleuvait tout fin. Dans la salle, il faisait
chaud. Un gros poêle, comme il y en avait jadis dans
les gares, était planté au beau milieu, et son tuyau noir
traversait l'espace avant d'aller s'enfoncer dans le mur.

Mᵐᵉ Bouchet comptait les billets, en remuant les
lèvres. Le patron, sans impatience, la regardait faire,
tenant déjà à la main le sac en toile grise dans lequel il
glissait chaque soir le contenu de la caisse.

Albert, le garçon, regarda l'heure, s'approcha d'eux,
fit un clin d'œil, désigna une bouteille qui se trouvait
à l'écart des autres sur le comptoir. Le patron regarda
l'heure à son tour, haussa les épaules et hocha la tête
en signe d'assentiment.

— Il n'y a pas de raison, parce que ce sont les derniers, de ne pas leur en donner comme aux autres, disait Albert à voix basse en emportant le plateau.

Car il avait l'habitude de se parler à lui-même en faisant son service.

L'auto du patron attendait au bord du trottoir. Il habitait loin, à Joinville, où il s'était fait construire une villa. Sa femme avait été caissière. Il avait été garçon de café. Il en gardait les pieds sensibles, comme tous les garçons de café et les maîtres d'hôtel, et portait des souliers spéciaux. Sa voiture, à l'arrière, était pleine de paquets joliment ficelés qu'il emporterait pour le réveillon.

La caissière, elle, prendrait l'autobus pour la rue Caulaincourt, où elle fêterait Noël chez sa fille, mariée à un employé de l'hôtel de ville.

Albert avait deux gosses et les jouets étaient cachés depuis plusieurs jours au-dessus de la grande armoire.

Il commença par l'homme, posa un petit verre sur la table, le remplit d'armagnac.

— Avec les souhaits du patron, dit-il.

Il passa plusieurs tables vides, arriva dans le coin où la grande Jeanne venait d'allumer une cigarette, prit soin de se placer entre elle et la caisse, murmura :

— Bois vite, que je t'en refile un autre! C'est la tournée du patron.

Enfin, il gagna le bout de la rangée de tables. Une jeune fille prenait un bâton de rouge à lèvres dans son sac à main et se regardait dans un petit miroir.

— Avec les souhaits de la maison...

Elle le regardait, surprise.

— C'est l'habitude, ici, à Noël.

— Je vous remercie.

Il lui en aurait bien servi deux verres aussi, mais il ne la connaissait pas assez et elle était trop près de la caisse.

Voilà! Encore un coup d'œil au patron, pour savoir s'il était enfin temps d'aller tirer les volets. C'était déjà gentil d'avoir tant attendu pour trois clients. Dans la plupart des restaurants de Paris, à cette heure, on préparait fiévreusement les tables pour les soupers de réveillon. Ici, c'était un petit établissement d'habitués, à prix fixe, un restaurant tranquille, pas loin de la place des Ternes, dans la partie la moins fréquentée du faubourg Saint-Honoré.

Il y avait eu peu de dîneurs, ce soir-là. Tout le monde avait plus ou moins de la famille ou des amis. Il ne restait que ces trois-là, deux femmes et un homme, et le garçon n'avait pas le courage de les mettre à la porte. Pour s'attarder ainsi devant leur table desservie, ils ne devaient avoir personne qui les attendait.

Il baissa le volet de gauche, puis le volet de droite, rentra, hésita à descendre le volet de la porte qui obligerait les retardataires à se courber pour sortir. Et pourtant il était neuf heures. La caisse était finie. Mᵐᵉ Bouchet mettait son chapeau noir et son manteau, son petit collet de martre, cherchait ses gants. Le patron faisait quelques pas, les pointes des pieds écartées. La grande Jeanne fumait toujours sa cigarette et la jeune fille avait maladroitement épaissi sa bouche avec le rouge à lèvres.

On allait fermer. C'était l'heure. Il était temps. Le patron était sur le point de prononcer aussi gentiment que possible son traditionnel :

— Mesdames, messieurs...

Mais, avant qu'il eût articulé une syllabe, il y eut un bruit sec et le seul consommateur mâle, les yeux grands ouverts, pleins, eût-on dit, d'un étonnement sans bornes, oscilla avant de glisser en travers sur la banquette.

Il venait, ici, comme ça, sans rien dire, sans avertir personne, à l'instant précis où on allait fermer, de se tirer une balle dans la tempe.

— Il vaudrait mieux que vous attendiez quelques minutes, dit le patron aux deux femmes. Il y a un sergent de ville au coin de la rue. Albert est allé le chercher.

La grande Jeanne s'était levée pour regarder le mort et, debout près du poêle, elle allumait une autre cigarette. La jeune fille, dans son coin, mordillait son mouchoir et, malgré la chaleur, tremblait de tous ses membres.

L'agent de police entra, sa pèlerine perlée de pluie répandant une odeur de caserne.

— Vous le connaissez ?

— Il dîne tous les jours ici depuis des années. C'est un Russe.

— Vous êtes sûr qu'il est mort ? Dans ce cas, il vaut mieux attendre l'inspecteur. Je l'ai fait avertir.

On n'attendit pas longtemps. Le commissariat était tout proche, rue de l'Étoile. L'inspecteur portait un pardessus mal coupé, ou qui avait rétréci à la pluie, un chapeau incolore, et paraissait morose.

— Le premier de la série! grogna-t-il en se penchant. Il est en avance. D'habitude, ça les prend vers minuit, quand la fête bat son plein.

Il se releva, un portefeuille à la main, l'ouvrit, en retira une carte d'identité verte et épaisse.

— Alexis Borine, cinquante-six ans, né à Vilna...

Il récitait à mi-voix, comme un prêtre dit sa messe, comme Albert parlait tout seul.

— ... *Hôtel de Bordeaux*, rue Brey... ingénieur... Il était ingénieur ? demanda-t-il au patron.

— Il l'a peut-être été voilà longtemps, mais depuis qu'il fréquente chez moi il figurait dans les films. Je l'ai reconnu plusieurs fois au cinéma.

— Des témoins ? questionna l'inspecteur en se retournant.

— Il y a moi, ma caissière, le garçon, puis ces deux dames. Si vous vouliez prendre leurs noms en premier...

Le policier se trouva nez à nez avec la grande Jeanne, qui était vraiment grande, qui avait une demi-tête de plus que lui.

— Te voilà, toi ? Tes papiers...

Elle lui tendit sa carte. Il copia :

— Jeanne Chartrain, vingt-huit ans, sans profession... Dis donc ! sans profession ?...

— C'est ce qu'ils ont mis à la mairie.

— Tu as l'autre carte ?

Elle fit oui de la tête.

— En règle ?

— Toujours gracieux, dit-elle en souriant.

— Et vous ?

Il s'adressait à la jeune fille mal maquillée qui balbutia :

— Je n'ai pas ma carte d'identité sur moi. On m'appelle Martine Cornu. J'ai dix-neuf ans et je suis née à Yport...

La grande bringue tressaillit et la regarda avec plus d'attention. Yport, c'était tout près de chez elle, à cinq kilomètres à peine. Et il y avait plein de Cornu dans la région. C'étaient des Cornu qui tenaient le principal café d'Yport, sur la plage.

— Domicile ? grommelait l'inspecteur Lognon, qu'on appelait dans le quartier « l'inspecteur malgracieux ».

— J'habite en meublé, rue Brey, au 17.

— On vous convoquera sans doute au commissariat un de ces jours. Vous pouvez aller.

Il attendait l'ambulance municipale. La caissière demanda :

— Je peux aller aussi ?

— Si vous voulez.

Puis, tandis qu'elle sortait, il rappelait la grande Jeanne qui se dirigeait vers la porte.

— Tu ne le connaissais pas, des fois ?

— Je suis montée avec lui, il y a longtemps, peut-être six mois... Au moins six mois puisque c'était au début de l'été... C'était le genre de clients qui prennent une femme pour parler plus que pour autre chose, qui vous questionnent, vous croient malheureuse... Depuis, il ne me saluait pas, mais il m'adressait toujours un petit signe en entrant.

La jeune fille sortait. La grande Jeanne sortait

presque sur ses talons. Elle portait un manteau en mauvaise fourrure, beaucoup trop court. Elle s'était toujours habillée trop court, tout le monde le lui disait, mais elle continuait sans savoir pourquoi, et cela la faisait paraître encore plus grande.

« Chez elle », c'était à droite, à cinquante mètres, dans le noir absolu du square du Roule, où il n'y avait que des ateliers d'artistes et des maisonnettes à un étage. Elle avait un petit appartement au premier, avec un escalier privé, une porte sur la rue, dont elle avait la clef.

Elle s'était promis de rentrer tout de suite, ce soir-là. Elle ne restait jamais dehors la nuit de Noël. Elle était à peine maquillée, portait ses vêtements les plus simples. Au point que ça l'avait choquée, tout à l'heure, de voir la jeune fille se barbouiller de rouge à lèvres.

Elle fit quelques pas vers l'impasse, perchée sur ses hauts talons dont elle entendait le bruit sur les pavés. Puis elle se dit qu'elle était cafardeuse, à cause du Russe ; elle eut envie de marcher dans la lumière, d'entendre du bruit, et elle se dirigea vers la place des Ternes, où venait aboutir la large trouée brillante qui descendait de l'Étoile. Les cinémas, les théâtres, les restaurants étaient illuminés. Des calicots, aux vitrines, annonçaient le prix et le menu des réveillons et, sur toutes les portes, on lisait le mot : « complet ».

On reconnaissait à peine les trottoirs, où il n'y avait presque personne.

La jeune fille marchait à dix mètres devant elle, avec l'air de quelqu'un qui ne sait où aller, et elle s'arrêtait de temps en temps devant un étalage ou à un coin de rue, hésitait à traverser, regardait longuement les photographies étalées dans le hall tiède d'un cinéma.

— On dirait que c'est elle qui fait le trottoir !

En voyant le Russe, Lognon avait grogné :

— Le premier de la série... Il est en avance !

Peut-être pour ne pas faire ça dans la rue, où c'était encore plus triste, ou dans la solitude de sa chambre d'hôtel. Au restaurant, il régnait une atmosphère paisible, presque familiale. On était entouré de visages connus. Il faisait chaud. Et justement, le patron venait d'offrir un verre avec ses souhaits.

Elle haussa les épaules. Elle n'avait rien à faire. Elle s'arrêtait, elle aussi, devant les étalages, devant les photographies, le néon des enseignes lumineuses la coloriait tantôt en rouge, tantôt en vert ou en violet, et elle se rendait compte que la jeune fille marchait toujours devant elle.

Qui sait ? Elle l'avait peut-être connue toute petite ? Il y avait dix ans de différence entre elles. Quand elle travaillait aux Pêcheries, à Fécamp — elle était déjà aussi longue, mais très maigre — elle allait souvent le dimanche danser à Yport avec les garçons. Il lui arrivait de danser chez Cornu, et il y avait toujours des gosses de la maison qui traînaient par terre.

— Attention à la limace, disait-elle à ses cavaliers.

Elle appelait les gosses des limaces. Ses frères et sœurs aussi étaient des limaces. Elle en avait six ou sept en ce temps-là, mais il ne devait plus en rester autant.

C'était drôle de penser que la jeune fille était sans doute une limace de chez Cornu !

Au-dessus des magasins de l'avenue, il y avait des appartements et presque tous étaient éclairés ; elle les regardait, levant la tête dans le crachin rafraîchissant, voyait parfois des ombres passer derrière les rideaux et se demandait :

— Que font-ils ?

Ils devaient attendre minuit en lisant le journal, ou bien préparer les arbres de Noël. Certaines maîtresses de maison auraient tout à l'heure des invités et s'inquiéteraient de la cuisson du dîner.

Des milliers d'enfants dormaient, ou faisaient semblant de dormir. Et les gens qui s'entassaient dans les cinémas, dans les théâtres, avaient presque tous leur place retenue au restaurant pour le réveillon, ou dans les églises pour la messe de minuit.

Car, dans les églises aussi, il fallait retenir ses places. Sinon, peut-être y serait-elle allée ?

Les passants qu'on rencontrait étaient en bande, déjà gais, ou par couples, plus étroitement serrés, eût-on dit, que les autres jours.

Et ceux qui marchaient seuls étaient plus pressés que les autres jours aussi. On sentait qu'ils allaient quelque part, qu'ils étaient attendus.

Est-ce pour cela que le Russe s'était tiré une balle dans la tête ? Et que l'inspecteur malgracieux annonçait qu'il y en aurait d'autres ?

C'était le jour, bien sûr ! La petite, devant elle, s'était arrêtée au coin de la rue Brey. La troisième maison était un hôtel et il y en avait d'autres, des hôtels discrets, où on pouvait entrer pour un moment. C'était justement là que Jeanne avait fait sa première passe. Dans l'hôtel voisin, sans doute tout en haut — car on ne louait au mois ou à la semaine que les plus mauvaises chambres — le Russe avait habité jusqu'aujourd'hui.

Qu'est-ce que la fille Cornu regardait ? La grosse Émilie ? Celle-là n'avait pas de pudeur, ni de religion. Elle était là, malgré Noël, et elle ne se donnait pas la peine de faire quelques pas pour n'avoir l'air de rien. Elle restait plantée près du seuil, avec les mots « chambres meublées » qui s'étalaient juste au-dessus de son chapeau violet. Il est vrai qu'elle était vieille, qu'elle avait bien quarante ans, qu'elle était devenue énorme, que ses pieds, aussi sensibles, à la longue, que ceux du patron du restaurant, en avaient assez de porter toute sa graisse.

— Salut, Jeanne! cria-t-elle à travers la rue.

La grande Jeanne ne lui répondit pas. Pourquoi suivait-elle la jeune fille ? Sans raison. Simplement, sans doute, parce qu'elle n'avait rien à faire et qu'elle avait peur de rentrer chez elle.

La fille Cornu, elle non plus, ne savait pas où elle allait. Elle avait pris la rue Brey machinalement et elle marchait à petits pas tranquilles, serrée dans un tailleur bleu beaucoup trop léger pour la saison.

Elle était jolie. Plutôt boulotte. Avec un petit derrière amusant qu'elle remuait en marchant. De face, au restaurant, on voyait ses seins haut placés qui gonflaient le corsage.

— Si on t'accoste, ma fille, tu ne l'auras pas volé!

Surtout ce soir-là, car les gens bien, ceux qui ont une famille, des amis, simplement des relations, ne sont pas à traîner dans les rues.

La petite imbécile l'ignorait. Peut-être même ne savait-elle pas ce que la grosse Émilie faisait à la porte de l'hôtel? En passant devant des bars, elle se haussait parfois sur la pointe des pieds pour regarder à l'intérieur.

Bon! Elle entrait. Albert avait eu tort de lui donner à boire. Jeanne était comme ça aussi jadis. Si elle avait le malheur de boire un verre, il lui en fallait d'autres. Et, quand elle en avait bu trois, elle ne savait plus ce qu'elle faisait. Il n'en était plus ainsi, par exemple! Ce qu'elle pouvait en sécher maintenant, des petits verres, avant d'avoir son compte!

Le bar s'appelait *Chez Fred*. Il y avait un long comptoir en acajou, avec de ces tabourets sur lesquels les femmes ne peuvent se percher sans montrer haut leurs jambes. C'était vide, autant dire. Juste un type, au fond, un musicien, ou un danseur, déjà en smoking, qui devait aller travailler tout à l'heure dans un cabaret des environs. Il mangeait un sandwich en buvant un verre de bière.

Martine Cornu se hissa sur un tabouret, près de l'entrée, contre le mur, et la grande Jeanne alla s'installer un peu plus loin.

— Un armagnac, commanda-t-elle, puisqu'elle avait commencé ainsi.

La jeune fille regardait toutes les bouteilles qui, éclairées par en dessous, formaient un arc-en-ciel aux tons suaves.

— Une bénédictine...

Le barman tourna le bouton d'un poste de T. S. F. et une musique douceâtre envahit le bar.

Pourquoi ne lui demanderait-elle pas si elle était bien une Cornu d'Yport? Il y avait des Cornu à Fécamp aussi, des cousins, mais ceux-là étaient bouchers dans la rue du Havre.

Le musicien — ou le danseur, — au fond, avait déjà repéré Martine et lui lançait des regards langoureux.

— Vous avez des cigarettes?

Elle n'avait pas l'habitude de fumer, cela se voyait à sa façon d'ouvrir le paquet, de rejeter la fumée en battant des paupières.

Il était dix heures. Encore deux heures et ce serait minuit. Tout le monde s'embrasserait. La radio déverserait dans toutes les maisons les strophes du *Minuit, Chrétiens*, qu'on reprendrait en chœur.

Au fond, c'était assez bête. La grande Jeanne, si à son aise pour adresser la parole au premier venu, se sentait incapable de s'approcher de cette jeune fille qui était de son pays, qu'elle avait probablement connue quand elle n'était qu'une enfant.

Pourtant, cela n'aurait pas été désagréable. Elle lui aurait dit :

« Puisque vous êtes seule aussi et que vous avez le noir, pourquoi ne passerions-nous pas gentiment le réveillon ensemble? »

Elle savait se tenir. Elle ne lui parlerait pas des hommes, ni de son métier. Il devait exister des tas de gens qu'elles connaissaient toutes les deux, à Fécamp et à Yport, et dont elles pourraient s'entretenir. Et pourquoi ne l'emmènerait-elle pas chez elle?

Son logement était coquet. Elle avait traîné assez longtemps dans les meublés pour connaître le prix

d'un coin à sol. Elle pourrait y introduire la jeune
fille sans rougir, car elle ne recevait jamais un homme
chez elle. D'autres le faisaient. Pour la grande Jeanne,
c'était un principe. Et peu d'appartements étaient
aussi propres que le sien. Il y avait même, près de la
porte, des semelles de feutre sur lesquelles elle glissait
les jours pluvieux pour ne pas salir le plancher, poli
comme une patinoire.

Elles achèteraient une bouteille ou deux, quelque
chose de bon et de pas trop fort. Des charcuteries
étaient encore ouvertes, où l'on vendait des pâtés,
des coquilles de homard, des plats savoureux et très
jolis qu'on ne mange pas tous les jours.

Elle l'observait à la dérobée. Peut-être aurait-elle
fini par parler si la porte ne s'était ouverte et si deux
hommes n'étaient entrés, de ceux que Jeanne n'aimait
pas, de ceux qui, quand ils arrivent quelque part,
regardent autour d'eux comme si tout leur apparte-
nait.

— Salut, Fred! lançait le plus petit, qui était aussi
le plus gros.

Ils avaient déjà fait l'inventaire du bar. Un coup
d'œil indifférent au musicien du fond, un regard à
la grande Jeanne qui, assise, paraissait moins bringue
que debout — c'est d'ailleurs pour cela qu'elle travaillait le plus souvent dans les bars.

Bien sûr qu'ils savaient ce qu'elle était. Par contre,
ils dévisageaient Martine avec insistance, s'asseyaient
près d'elle.

— Vous permettez ?

Elle se collait un peu contre le mur, tenant toujours aussi maladroitement sa cigarette.

— Qu'est-ce que tu prends, Willy ?

— Comme d'habitude.

— Comme d'habitude, Fred.

De ces hommes, qui, souvent, ont l'accent étran-
ger et qu'on entend parler des courses, ou discuter
automobiles. De ces hommes aussi qui, à un certain
moment, adressent un clin d'œil à quelqu'un, l'em-

mènent au fond de la salle pour lui chuchoter quelque chose à l'oreille. Et qui, où qu'ils soient, éprouvent toujours le besoin de téléphoner.

Le barman leur préparait une mixture compliquée qu'ils regardaient faire avec attention.

— Le baron n'est pas venu ?

— Il a demandé qu'un de vous l'appelle au bout du fil. Il est chez Francis.

Le plus gros gagnait la cabine. L'autre se rapprochait de Martine.

— Ça ne vaut rien pour l'estomac, affirma-t-il en faisant jouer le déclic d'un étui à cigarettes en or.

Elle le regarda, étonnée, et Jeanne avait envie de lui crier :

« Tais-toi, ma fille ! »

Parce qu'une fois qu'elle aurait parlé, il lui serait difficile de se dépêtrer.

— Qu'est-ce qui est mauvais pour l'estomac ?

Elle marchait, comme une gourde qu'elle était. Elle s'efforçait même de sourire, sans doute parce qu'on lui avait appris à sourire quand on parle aux gens, ou peut-être parce qu'elle croyait ressembler ainsi à une couverture de magazine.

— Ce que vous buvez !

— C'est de la bénédictine.

Elle était bien des environs de Fécamp ! Elle croyait avoir tout dit en prononçant ce mot-là.

— Justement ! Rien de tel pour vous rendre malade ! Fred !

— Oui, monsieur Willy.

— Un autre pour mademoiselle. Sec.

— Entendu.

— Mais... essaya-t-elle de protester.

— En copine, n'ayez pas peur ! Est-ce la nuit de Noël, oui ou non ?

Le gros, qui sortait de la cabine et qui arrangeait sa cravate devant la glace, avait déjà compris.

— Vous habitez le quartier ?

— Je n'habite pas loin d'ici.

— Barman! appela la grande Jeanne. Donnez-moi la même chose.

— Armagnac?

— Non. Du truc que vous venez de servir.

— Un side-car?

— Si vous voulez.

Elle était furieuse, sans raison.

« Toi, ma petite, tu n'en as pas pour longtemps avant d'être dans les pommes... Comme c'est malin!... Si tu avais soif, tu n'aurais pas pu choisir un café plus convenable? Ou aller boire chez toi? »

Il est vrai qu'elle n'était pas rentrée chez elle, elle non plus. Et pourtant elle avait l'habitude de vivre seule. Est-ce qu'on a envie de rentrer chez soi, la nuit de Noël, quand on sait qu'il n'y a personne pour vous attendre et que, de son lit, on entendra des musiques et des bruits joyeux chez tous les voisins?

Tout à l'heure, les cinémas, les théâtres allaient dégorger une foule impatiente qui se précipiterait vers les dizaines de milliers de tables retenues jusque dans les quartiers les plus lointains, dans les restaurants les plus modernes. Réveillons à tous prix!

Seulement, voilà, on ne peut pas retenir une table pour une personne. Ne serait-ce pas faire injure aux autres, à ceux qui sont en bande et qui s'amusent, d'aller s'asseoir dans un coin et de les regarder. De quoi aurait-on l'air? D'un reproche! On les verrait se pencher et chuchoter entre eux et se demander si, par pitié, ils ne devraient pas vous inviter.

On ne peut pas non plus marcher dans les rues, car alors les agents vous suivent d'un regard soupçonneux, anxieux de savoir si vous n'allez pas profiter d'un coin sombre pour faire comme le Russe, ou si tout à l'heure quelqu'un ne devra pas se jeter dans la Seine, malgré le froid, pour vous repêcher.

— Qu'est-ce que vous en dites?

— Ce n'est pas très fort.

Pour une fille de bistrot, elle aurait pu s'y connaître

un peu mieux. Mais toutes les femmes disent ça. A
croire qu'elles s'attendent toujours à avaler du feu.
Alors, comme c'est moins fort qu'elles ne pensaient,
elles cessent de se méfier.

— Vendeuse ?

— Non.

— Dactylo ?

— Oui.

— Depuis longtemps à Paris ?

Il avait des dents de vedette de cinéma et deux
petites virgules en guise de moustaches.

— Vous aimez danser ? ·

— Quelquefois.

Comme c'était malin ! Quel plaisir d'échanger des
paroles aussi bêtes avec des individus comme ceux-là !
Peut-être, après tout, la petite les prenait-elle pour
des hommes du monde ? L'étui en or qu'on lui tendait, les cigarettes égyptiennes aussi devaient l'éblouir,
comme la bague avec un gros diamant de son plus
proche voisin.

— Remets-nous ça, Fred.

— Pas pour moi, merci. D'ailleurs, il est temps
que je...

— Temps que quoi ?

— Vous dites ?

— Il est temps que vous... que vous fassiez quoi ?
Vous n'allez quand même pas vous coucher à dix
heures et demie la nuit de Noël !

C'est drôle ! Quand on voit cette scène-là se dérou-
ler sans y participer, on trouve que c'est bête à
pleurer. Mais quand on y joue son rôle...

« Petite dinde ! » grondait la grande Jeanne qui
fumait cigarette sur cigarette et qui ne quittait pas
les trois personnages des yeux.

Bien entendu, Martine n'osait pas avouer qu'elle
allait en effet se coucher.

— Vous avez un rendez-vous ?

— Vous êtes curieux.

— Un amoureux ?

— Qu'est-ce que cela peut vous faire?

— C'est que j'aurais un tel plaisir à ce qu'il attende!

— Pourquoi?

La grande Jeanne aurait pu prononcer les répliques à leur place. Elle les savait par cœur. Elle avait surpris le regard lancé au barman et qui signifiait :

« Force la dose! »

Mais on aurait eu beau servir à l'ancienne limace d'Yport le cocktail le plus raide, au point où elle en était, elle l'aurait trouvé doux. N'avait-elle pas assez de rouge sur ses lèvres, non? Elle éprouvait le besoin d'en remettre, pour ouvrir son sac, pour montrer que c'était un bâton de rouge d'Houbigant, et aussi à cause de la moue, parce que les femmes se croient irrésistibles quand elles avancent les lèvres vers l'indécent petit instrument.

« Tu es belle, va! Si tu te regardais dans la glace, tu verrais que, de nous deux, c'est toi qui as l'air d'une grue! »

Pas tout à fait, parce que ce n'est pas seulement avec plus ou moins de maquillage que cela se marque. La preuve, c'est que les deux hommes, en entrant, n'avaient eu besoin que d'un coup d'œil pour jauger la grande Jeanne.

— Vous connaissez le *Monico*?

— Non. Qu'est-ce que c'est?

— Dis donc, Albert, elle ne connaît pas le *Monico*!

— C'est crevant!

— Et vous aimez danser? Mais, mon petit...

Ce mot-là, Jeanne l'attendait, mais un peu plus tard. L'homme avait été vite en besogne. Sa jambe était déjà collée à une des jambes de la jeune fille qui ne pouvait la retirer, coincée qu'elle était contre le mur.

— C'est une des boîtes les plus épatantes de Paris. Rien que des habitués. Le jazz Bob Alisson. Vous ne connaissez pas Bob non plus?

— Je ne sors pas souvent.

Les deux hommes échangeaient des clins d'œil. Fatal aussi. Dans quelques minutes, le petit gros se

souviendrait qu'il avait un rendez-vous urgent pour
laisser le champ libre à son camarade.

« Pas de ça, mes enfants! » décida la grande Jeanne.

Elle venait de boire, elle aussi, trois verres coup sur
coup, sans compter les verres du patron du restaurant.
Elle n'était pas saoule, elle ne l'était jamais tout à
fait, mais elle commençait à attacher de l'importance à
certaines idées.

Par exemple que cette idiote de jeune fille était du
même pays qu'elle, que c'était une limace. Puis elle
pensait à la grosse Émilie plantée sur le seuil de l'hôtel.
Ft c'était dans ce même hôtel, mais pas une nuit de
Noël, qu'elle était montée pour la première fois.

— Vous ne voudriez pas me donner du feu?

Elle s'était laissée glisser de son tabouret et s'était
approchée, une cigarette au bec, du plus petit des deux
hommes.

Lui aussi savait ce que ça voulait dire et il n'en
était pas enchanté, il la regardait de la tête aux pieds
d'un œil critique. Il devait avoir, debout, une bonne
tête de moins qu'elle, et elle avait une démarche de
garçon.

— Vous ne m'offrez pas un verre?

— Si vous y tenez... Fred!

— Compris.

La dinde, pendant ce temps-là, la regardait avec un
sentiment voisin de l'indignation, comme si on avait
cherché à lui voler quelque chose.

— Dites donc, mes enfants, vous n'êtes pas rigolos!

Et Jeanne, une main sur l'épaule de son voisin,
se mit à tonitruer le refrain que la radio jouait en sourdine.

« Petite grue! » se répétait-elle toutes les dix minutes.
« On n'a pas idée... »

Le plus curieux, c'est que la petite grue continuait
à la regarder avec un souverain mépris.

Pourtant, un bras tout entier de Willy disparaissait derrière le dos de Martine, et la main à la chevalière de diamant s'écrasait en plein sur son corsage.

Elle était vautrée — oui, vautrée — sur la banquette cramoisie du *Monico*, et il n'y avait plus besoin de lui mettre son verre en main, c'était elle qui le réclamait plus souvent que de raison et qui buvait d'un trait le champagne pétillant.

Après chaque rasade, elle éclatait de rire, d'un rire scandé, puis elle se collait plus fort à son compagnon.

Il n'était pas encore minuit! La plupart des tables étaient inoccupées. Parfois le couple était seul sur la piste et Willy fourrait son nez dans les petits cheveux de sa compagne, promenait ses lèvres sur la peau de poulet de sa nuque.

— Tu es vexé, hein! disait Jeanne à son compagnon.

— Pourquoi ?

— Parce que ce n'est pas toi qui as gagné le gros lot. Tu me trouves trop grande ?

— Un peu.

— Couchée, ça ne se remarque pas.

C'était une phrase qu'elle avait prononcée des milliers de fois. C'était presque un slogan, aussi idiot que les mamours que les deux autres échangeaient, mais au moins ne le faisait-elle pas pour son plaisir.

— Tu trouves ça gai, toi, un réveillon ?

— Pas spécialement.

— Tu penses qu'il y en a qui s'amusent vraiment ?

— Il faut croire...

— Tout à l'heure, au restaurant où je dînais, un type s'est descendu gentiment, dans son coin, avec l'air de s'excuser de nous déranger et de salir le plancher.

— Tu n'as rien de plus drôle à raconter ?

— Alors, commande une autre bouteille. J'ai soif.

C'était le seul moyen qui restait. Saouler la limace à fond, puisqu'elle s'entêtait à ne rien comprendre.

Qu'elle soit bien malade, qu'elle vomisse, qu'il n'y ait plus d'autre solution qu'aller la mettre au lit.

— A votre santé, jeune fille! Et à tous les Cornu d'Yport et de la région.

— Vous êtes du pays?

— De Fécamp. Pendant un temps, j'allais danser à Yport chaque dimanche.

— Ça va! interrompit Willy. Nous ne sommes pas ici pour raconter des histoires de famille...

Tout à l'heure, dans le bar de la rue Brey, on aurait pu croire qu'un verre de plus aurait raison de la petite. C'était le contraire qui se produisait. Peut-être que de prendre l'air pendant quelques minutes l'avait remise d'aplomb? Peut-être était-ce le champagne? Plus elle buvait et plus elle s'éveillait. Mais ce n'était plus du tout la jeune fille du petit restaurant.

Willy, maintenant, lui fourrait ses cigarettes toutes allumées dans la bouche et elle buvait dans son verre. C'en était dégoûtant. Et cette main qui se promenait sans cesse sur son corsage et sur sa jupe!

Encore quelques minutes et tout le monde allait s'embrasser, ce sale individu collerait ses lèvres aux lèvres de la jeune fille qui serait assez bête pour se pâmer dans ses bras.

« Voilà comme nous sommes à cet âge-là! On devrait interdire la fête de Noël... »

Toutes les autres fêtes aussi!... C'était Jeanne qui commençait à voir trouble.

— Si on changeait de crémerie?

Peut-être l'air du dehors, cette fois, produirait-il l'effet contraire et Martine tournerait-elle enfin de l'œil? Surtout, si ça arrivait, que ce gigolo à la manque n'essaie pas de la reconduire et de monter chez elle!

— On est bien ici...

Et Martine, regardant sa compagne avec méfiance, parlait d'elle à voix basse à son compagnon. Elle devait lui dire:

— De quoi se mêle-t-elle? Qui est-ce? Elle a l'air d'une...

Le jazz s'arrêtait soudain. Il y avait quelques secondes de silence. Des gens se levaient.

Minuit, chrétiens... entonnait la musique.

Mais oui, ici aussi! Et Martine se trouvait écrasée sur la poitrine de Willy, leurs corps étaient soudés l'un à l'autre depuis les pieds jusqu'au front, leurs bouches scandaleusement collées.

— Dites donc, mes cochons!

La grande Jeanne s'avançait vers eux, la voix criarde et vulgaire, avec des gestes de pantin disloqué.

— Vous n'en laisserez pas pour les autres, non?

Puis, haussant le ton :

— Toi, la petite, tu pourrais me faire un peu de place!

Ils ne bougeaient toujours pas et elle saisissait Martine par l'épaule, la tirait en arrière.

— Tu n'as pas compris, espèce de grue? Tu crois peut-être qu'il est à toi seule, ton Willy? Et si j'étais jalouse, moi?

On les écoutait, on les regardait des autres tables.

— Je n'ai rien dit, jusqu'ici. J'ai laissé faire, parce que je suis bonne fille. Mais cet homme-là, il est à moi...

— Qu'est-ce qu'elle dit? s'étonnait la jeune fille.

Willy essayait en vain de l'écarter.

— Ce que je dis? Ce que je dis? Je dis que tu es une sale grue et que tu me l'as pris. Je dis que cela ne se passera pas ainsi et que je vais t'arranger ta jolie petite gueule. Je dis... Tiens! Prends toujours ça comme acompte!... Et ça!... Et encore ça!...

Elle y allait de bon cœur, frappait, griffait, saisissait les cheveux à pleine poignée, tandis qu'on essayait vainement de les séparer.

Elle était forte comme un homme, la grande Jeanne.

— Ah! tu m'as traitée de je sais bien quoi!... Ah! tu me cherches des crosses...

Martine se débattait comme elle pouvait, griffait à son tour, enfonçait même ses petites dents dans la main de l'autre qui lui pinçait une oreille.

— Voyons, mesdames... Voyons, messieurs...

Et toujours la voix aiguë de la Jeanne, qui s'arrangeait pour renverser la table. Les verres, les bouteilles se fracassaient. Des femmes s'éloignaient en criant du champ de bataille, tandis que la grande Jeanne parvenait enfin, à l'aide d'un croc-en-jambe, à mettre la jeune fille par terre.

— Ah! tu me cherches... Eh bien! tu m'as trouvée...

Elles étaient sur le plancher, enlacées, avec des gouttes de sang qu'avaient fait jaillir les éclats de verre.

La musique jouait le plus fort possible son *Minuit, chrétiens*, afin d'étouffer les cris. Des gens continuaient à chanter. La porte s'ouvrait enfin. Deux agents cyclistes entraient, marchaient droit vers les combattantes.

Sans beaucoup de ménagements, ils les poussaient un peu du bout de leurs semelles.

— Debout, vous autres!

— C'est cette saloperie qui...

— Silence! Vous vous expliquerez au poste.

Ces messieurs, Willy et son copain, comme par hasard, avaient disparu.

— Suivez-nous.

— Mais... protestait Martine.

— Ça va! pas d'explications!

La grande Jeanne se retournait pour chercher son chapeau qu'elle avait perdu dans la bagarre. Sur le trottoir, elle cria au chasseur :

— Tu me mettras mon chapeau de côté, Jean. Je viendrai le chercher demain. Il est presque neuf.

— Si vous ne vous tenez pas tranquilles... fit un agent en agitant des menottes.

— Ça va, l'enflé! On sera sages comme des images!

La gamine butait. C'est maintenant que, tout à coup, elle était malade. On dut s'arrêter dans un coin d'ombre pour la laisser vomir au pied d'un mur sur lequel il était écrit en lettres blanches : « Défense d'uriner ».

Elle pleurait, entremêlait sanglots et hoquets.

— Je ne sais pas ce qui lui a pris. Nous nous amusions gentiment...

— Tu parles!

— Je voudrais un verre d'eau.

— On vous en donnera au poste.

Ce n'était pas loin, rue de l'Étoile. Et justement Lognon, l'inspecteur malgracieux, était encore de service. Il avait des lunettes sur le nez. Il devait être occupé à rédiger son rapport sur la mort du Russe. Il reconnut Jeanne, puis l'autre, les regarda tour à tour sans comprendre.

— Vous vous connaissiez?

— On le dirait, mon pote!

— Toi, tu es saoule comme une vache, lança-t-il à la grande Jeanne. Quant à l'autre...

Un des agents expliquait:

— Elles étaient toutes les deux par terre, au *Monico*, à se crêper le chignon.

— Monsieur... essaya de protester Martine.

— Ça va! Fourrez-la au violon en attendant le car.

Il y avait les hommes d'un côté, pas beaucoup, de vieux clochards pour la plupart, et les femmes de l'autre, au fond, séparés par une claire-voie. Des bancs, le long des murs. Une petite marchande de fleurs qui pleurait.

— Qu'est-ce que t'as fait, toi?

— Ils ont trouvé de la coco dans mes bouquets. Ce n'est pas ma faute...

— Sans blague!

— Qu'est-ce que c'est, celle-là?

— Une limace.

— Une quoi?

— Une limace. Cherche pas à comprendre. Tiens! la voilà qui se remet à dégobiller. Ça va sentir bon, ici, si le panier à salade passe avec du retard!

**

Il y en avait une bonne centaine, à trois heures du matin, quai de l'Horloge, au dépôt, toujours les hommes d'un côté et les femmes de l'autre.

Sans doute, dans des milliers de maisons, dansait-on encore devant les arbres de Noël. Il y aurait des indigestions de dinde, de foie gras et de boudin. Les restaurants, les cafés ne fermeraient qu'au petit jour.

— T'as compris, idiote?

Martine était couchée en chien de fusil sur un banc aussi poli par l'usage qu'un banc d'église. Elle était encore malade, les traits tirés, les yeux vagues, les lèvres soulevées par une moue.

— Je ne sais pas ce que je vous ai fait.

— Tu ne m'as rien fait, limace.

— Vous êtes une...

— Chut! prononce pas ce mot-là ici, parce qu'il y en a quelques douzaines qui pourraient te tomber sur le cuir.

— Je vous déteste.

— Tu as peut-être raison. N'empêche que tu aurais l'air fin, à l'heure qu'il est, dans une chambre d'hôtel de la rue Brey!

On sentait que la jeune fille faisait un effort pour comprendre.

— Essaie pas, va! Crois-moi quand je te dis que t'es mieux ici, même si c'est pas confortable et si ça ne sent pas bon. A huit heures, le commissaire te fera un petit sermon que tu n'as pas volé et tu pourras prendre le métro pour la place des Ternes. Moi, sûrement qu'ils me feront passer la visite et ils me retireront sans doute ma carte pendant huit jours.

— Je ne comprends pas.

— Laisse tomber! Tu crois que ça aurait été joli, avec ce type-là, et une nuit de Noël par surcroît? Hein? Tu aurais été fière de ton Willy, demain matin!

Et tu crois que tu ne dégoûtais pas les gens quand tu ronronnais sur la poitrine de ce voyou ? Maintenant, au moins, tu gardes ta chance. Tu peux dire merci au Russe, va !

— Pourquoi ?

— Je ne sais pas. Une idée comme ça. D'abord parce que c'est à cause de lui que je ne suis pas rentrée chez moi. Puis c'est peut-être lui qui m'a donné l'envie de jouer le Père Noël une fois dans ma vie... Pousse-toi, maintenant, que j'aie une petite place...

Puis, déjà à moitié endormie :

— Suppose que chacun fasse une fois le Père Noël...

Sa voix devenait molle, tandis qu'elle sombrait dans le sommeil.

— Suppose, je te dis... Rien qu'une fois... Avec tous les habitants qu'il y a sur la terre...

Enfin, grognon, la tête sur la cuisse de Martine qui lui servait d'oreiller :

— Essaie voir à ne pas gigoter tout le temps.

Janvier 1947
Bradenton Beach

TABLE DES MATIÈRES

Achevé d'imprimer en juillet 1985
sur les presses de l'Imprimerie Bussière
à Saint-Amand (Cher)

— N° d'édit. 288. — N° d'imp. 1859. —
Dépôt légal : 4ᵉ trimestre 1955.

Imprimé en France